MICHAEL BOND

Noi aventuri cu Paddington

Michael Bond

NOI AVENTURI CU

Paddington

Ilustrații de Peggy Fortnum,
colorate de Amandine Bănescu

Traducere din engleză
de Iulia Arsintescu

Redactori: Alina Ioan, Diana Zografi
Tehnoredactor: Cristian Vlad
DTP copertă: Alexandru Daș

Descrierea CIP a Bibliotecii Naționale a României
BOND, MICHAEL
    Noi aventuri cu Paddington/ text:Michael Bond; il.: Peggy Fortnum;
trad. de Iulia Arsintescu – București: Editura Arthur, 2015
    ISBN 978-606-8620-20-6

I. Fortnum, Peggy (il.)
II. Arsintescu, Iulia (trad.)

821.111-93-34=135.1

Michael Bond
More about Paddington

© Editura Arthur, 2015, pentru prezenta ediție
Editura Arthur este un imprint al Grupului Editorial Art.

CAPITOLUL UNU

Fotografie de familie

Casa familiei Brown din Windsor Gardens numărul 32 era neobișnuit de liniștită. Era o zi caldă de vară și toată familia, cu excepția lui Paddington, care dispăruse misterios imediat după masă, stătea pe verandă și se bucura de soarele după-amiezii.

În afară de foșnetul slab al paginilor uriașei cărți pe care o citea domnul Brown și de țăcănitul andrelelor doamnei Brown, nu se mai auzea decât zgomotul făcut în bucătărie de doamna Bird, menajera familiei, în timp ce pregătea cele necesare pentru ceai.

Jonathan și Judy erau foarte concentrați la rezolvarea unui puzzle uriaș și nu scoteau niciun cuvânt.

Domnul Brown rupse tăcerea.

— Știți, zise el, după ce trase îndelung din pipă, am descoperit ceva amuzant. Am căutat în această enciclopedie de peste zece ori și nu am găsit nicio mențiune despre un urs ca Paddington.

— Și nici n-o să găsiți, exclamă doamna Bird. Urșii ca Paddington sunt foarte rari. Ăsta-i un lucru bun, dacă mă întrebați pe mine, altminteri lumea ar cheltui o grămadă de bani pe marmeladă.

Doamna Bird se plângea tot timpul de pofta lui Paddington pentru marmelada de portocale, dar toată lumea observase că avea mereu în cămară un borcan în plus, pentru orice eventualitate.

— Henry, zise doamna Brown, lăsând jos andrelele, dar ce-ți veni de te-ai apucat să-l cauți pe Paddington?

Domnul Brown își răsuci gânditor mustața.

— N-am făcut-o din vreun motiv anume, răspunse el destul de echivoc. Mă interesa pur și simplu.

Să ai în familie un urs, mai ales unul ca Paddington, reprezenta o responsabilitate grea, iar domnul Brown o lua foarte în serios.

— Ideea este că, dacă va rămâne cu noi pentru totdeauna... începu domnul Brown, închizând cartea cu un pocnet.

— *Dacă*? întrebă alarmată toată familia, inclusiv doamna Bird.

— Ce Dumnezeu vrei să spui, Henry? exclamă doamna Brown. Cum adică „dacă" Paddington va rămâne cu noi pentru totdeauna? Sigur că va rămâne!

— Cât timp rămâne cu noi, se grăbi să precizeze domnul Brown, mă gândesc să facem câteva lucruri. Mai întâi ar trebui să amenajăm dormitorul de rezervă special pentru el.

Toată lumea era de acord cu asta. Încă de când apăruse în casa lor, Paddington stătuse în camera de oaspeți. Era un urs politicos și nu comentase niciodată, nici măcar atunci când trebuise să se mute ca să facă loc pentru musafiri, dar devenise limpede de multă vreme că avea nevoie de o cameră a lui.

— Pe urmă, continuă domnul Brown, aș vrea să ne fotografiem. Ar fi frumos să avem o fotografie de familie.

— O fotografie? exclamă doamna Bird. Ce caraghios că spuneți asta!

— Poftim? zise domnul Brown. De ce?

— O să vedeți. Toate la timpul lor, zise doamna Bird, făcându-și de lucru cu ceainicul, și nu mai reușiră să scoată nimic de la ea.

Șuvoiul de întrebări cu care intenționau s-o asalteze ceilalți fu curmat de o izbitură puternică venită dinspre sufragerie, după care în ușile cu geam ale sufrageriei apăru însuși Paddington. Se lupta să care o cutie mare de carton, deasupra căreia stătea de-a curmezișul un obiect metalic misterios, care se termina la un capăt cu un fel de țepușe.

Ceilalți scoaseră un oftat de uimire, dar nu atât din cauza obiectelor pe care le căra ursulețul, cât mai ales datorită felului în care arăta el.

Avea blana neobișnuit de moale și de aurie, iar urechile – cel puțin cât se zărea din ele de sub borurile largi ale vechii lui pălării – erau la fel de negre și de lucioase ca vârful botului. Chiar și labele și mustățile arătau incredibil de bine.

Toți se ridicară uimiți în picioare, iar doamna Brown scăpă câteva ochiuri de pe andrea.

— Doamne sfinte! bolborosi domnul Brown, aproape vărsând ceaiul peste enciclopedie. *Ce ți-ai făcut?*

— Am făcut baie, răspunse Paddington, cât se poate de jignit.

— Ai făcut *baie?* repetă Judy încet. Fără să te fi pus cineva?

— Fir-ar! exclamă Jonathan. Ar trebui să scoatem steagurile.

— Te simți bine? întrebă domnul Brown. Adică, sper că nu cumva ești bolnav...

Paddington deveni și mai ofensat de toată agitația pe care o stârnise. Parcă nu s-ar fi spălat *niciodată!* De fapt, se spăla aproape în fiecare dimineață, dar pur și simplu avea alte opinii despre baie. Să facă baie însemna să se ude pe toată blana și îi lua o grămadă de timp să se usuce.

— Am vrut să arăt bine pentru fotografie, zise ferm ursulețul.

— Fotografie? se minună toată lumea.

Era de-a dreptul ciudat cum afla Paddington toate lucrurile.

— Da, confirmă el.

Afișând și mai multă importanță, ursul se apleacă să desfacă sforile care legau cutia de carton.

— Mi-am cumpărat un aparat de fotografiat, adăugă el.

— Un aparat de fotografiat... reuși să îngaime în cele din urmă domnul Brown. Nu sunt niște obiecte foarte scumpe?

— Ăsta n-a fost, zise Paddington, respirând adânc și aplecându-se să tragă afară din cutie cel mai mare aparat de fotografiat pe care-l văzuse vreodată familia Brown. L-am cumpărat din piață, de la solduri. A costat doar trei lire.

— Trei lire! exclamă domnul Brown, părând extrem de interesant. N-am cunoscut niciodată vreun urs care să se priceapă atât de bine la chilipiruri, adăugă el către restul familiei.

— Strașnic! strigă Jonathan. Are pânză neagră de pus în cap și toate alea?

— Ce e chestia aceea lungă?

— Un trepied, explică mândru Paddington, așezându-se pe podea și desfăcând picioarele obiectului misterios. Se pune aparatul de fotografiat pe el ca să nu se miște.

Domnul Brown ridică aparatul și-l examină. Se dovedi că avea șuruburile ruginite, iar câteva mai bătrâne dispăruseră de tot.

— Nu-i cam vechi? întrebă el, fără să se gândească la consecințe. Arată de parcă l-ar fi folosit cineva pe post de cutie de scule, nu de aparat foto.

Paddington își ridică borul pălăriei și îl țintui pe domnul Brown cu o privire grea.

— Este un model foarte rar, răspunse ursulețul. Așa mi-a spus vânzătorul din prăvălia cu chilipiruri.

— *Mie* mi se pare grozav! exclamă Jonathan entuziasmat. Piua, Paddington, eu sunt primul la pozat!

— Nu am decât o singură placă, zise hotărât Paddington. M-ar fi costat enorm să mai cumpăr una și oricum nu-mi mai rămăsese nimic din banii de buzunar. Mă tem că va trebui să te mulțumești să faci parte din grup.

— Mi se pare un obiect foarte complicat și cam mare pentru un ursuleț, remarcă domnul Brown, în timp ce Paddington înșuruba aparatul pe trepied, apoi regla înălțimea picioarelor. Ești sigur că te descurci să-l manevrezi?

— Așa cred, zise Paddington, cu vocea înăbușită de pânza neagră pe care și-o trăsese peste cap. Domnul Gruber mi-a împrumutat o carte în care scrie tot ce trebuie să știu despre fotografie și am exersat sub pătură.

Domnul Gruber avea un magazin de antichități în piața Portobello. Era bun prieten cu Paddington și-l ajuta în toate problemele.

— Dacă așa stau lucrurile, zise domnul Brown, hotărân-
du-se să preia inițiativa, vă propun să mergem pe pajiștea din
fața casei și să-l lăsăm pe Paddington să ne fotografieze cât
încă mai strălucește soarele.

Ieși din casă în fruntea tuturor, în timp ce Paddington se
agita cu aparatul de fotografiat. Peste câteva momente, ursu-
lețul anunță că pregătise totul și începu să-i aranjeze cum voia
el, dând fuga din când în când la aparat ca să verifice cum se
vedeau prin obiectiv.

Aparatul foto era foarte aproape de pământ, așa că Padding-
ton îl puse pe domnul Brown să se ghemuiască într-o poziție
incomodă între Jonathan și Judy, în timp ce doamna Brown
și doamna Bird ședeau fiecare în câte o margine.

Ceea ce vedea prin obiectiv îl cam dezamăgea, dar ursulețul nu le spuse nimic celorlalți. Pe domnul Brown îl recunoștea după mustață, dar pe ceilalți abia dacă-i putea distinge. Toți păreau șterși, de parcă ar fi fost învăluiți în ceață. Asta era ciudat, pentru că atunci când Paddington scotea capul de sub pânza neagră, afară se dovedea o zi cu soare.

Familia Brown așteptă răbdătoare, iar Paddington se așeză pe iarbă să consulte cartea cu instrucțiuni. Descoperi curând un capitol foarte interesant numit „Focalizare". În el se explica limpede că, dacă voiai fotografii clare, trebuia neapărat ca aparatul să fie așezat la distanța potrivită și să fie reglat corect. Exista chiar și o fotografie în care un bărbat măsura distanța cu o bucată de sfoară.

Trecură mai multe minute, căci Paddington citea destul de încet, plus că avea de examinat mai multe diagrame.

— Sper să nu dureze foarte mult, zise domnul Brown. Simt că mă apucă niște crampe.

— O să se supere dacă te miști, zise doamna Brown. A fost mare bătaie de cap pentru el să ne aranjeze și cred că a reușit s-o facă destul de frumos.

— Ție-ți convine, mormăi domnul Brown. Tu stai jos.

— Stt! răspunse doamna Brown. Cred că aproape a terminat. Face ceva cu o bucată de sfoară.

— Ce faci acolo? întrebă domnul Brown.

— Vreau să măsor, zise Paddington, făcând un laț la un capăt al sforii.

— Hei, dacă nu te superi, aș prefera să legi capătul sforii de aparat, nu de urechea mea! protestă domnul Brown, văzând ce avea de gând ursulețul.

Restul frazei dispăru într-o bolboroseală de neînțeles, pentru că Paddington trăsese tare de sfoară. Păru destul de uimit de reacția domnului Brown și îi examină atent urechea.

— Cred că am făcut din greșeală un laț care se strânge, anunță el în cele din urmă.

Paddington nu se pricepea prea bine la noduri, iar faptul că avea labe făcea lucrurile și mai dificile pentru el.

— Hai, Henry, nu mai face atâta tărăboi, zise doamna Brown. O să creadă toată lumea că te doare.

Domnul Brown își frecă urechea, care căpătase o culoare vineție caraghioasă.

— E urechea *mea*, zise el, și să știi că mă doare de-adevăratelea!

— Acum unde se mai duce? se miră doamna Bird, pentru că Paddington se îndrepta grăbit spre casă.

— Cred că vrea să măsoare frânghia, zise Jonathan.

— Ha! zise domnul Brown. Ei bine, eu am de gând să mă ridic.

— Henry! zise doamna Brown. Dacă faci asta, o să mă supăr foarte tare.

— E prea târziu, oricum, gemu domnul Brown. Mi-au amorțit picioarele.

Din fericire pentru domnul Brown, Paddington tocmai se întorsese. Se uită la soare, apoi la grupul care-l aștepta.

— Mă tem că trebuie să veniți mai încoace, zise el, consultând instrucțiunile. Soarele s-a mutat.

— Nici nu mă surprinde, mormăi domnul Brown, așezându-se pe iarbă și masându-și picioarele. În ritmul în care ne mișcăm, va apune de-a dreptul, înainte să terminăm.

— Nu m-am gândit niciodată că o fotografie ar putea fi un lucru atât de complicat, zise doamna Bird.

— Eu nu înțeleg, șopti Judy, de ce s-a mai obosit Paddington să facă baie, dacă *el* e fotograful.

— Bună întrebare, zise domnul Brown. Tu cum faci să apari în fotografie, Paddington?

Ursulețul se uită la domnul Brown cu o privire nedumerită. Nu se gândise la problema asta, dar hotărî să-și bată capul cu ea atunci când va veni vremea. Avea multe alte lucruri importante de făcut mai întâi.

— Voi apăsa pe declanșator, zise el, după ce se gândi o clipă, și pe urmă o să fug repede lângă voi.

— Dar nici măcar un *urs* nu poate alerga atât de repede, continuă domnul Brown.

— Sunt sigură că Paddington știe mai bine, Henry, șopti doamna Brown. Și chiar dacă nu știe, nu mai spune nimic, pentru numele lui Dumnezeu! Dacă-și va da seama că a făcut baie degeaba, n-o să mai intre în cadă niciodată.

— Gluga aparatului mi se pare foarte lungă, zise doamna Bird. Nu-l mai văd pe Paddington deloc.

— Asta din cauză că-i el foarte scund, îi explică Jonathan. A trebuit să scurteze picioarele trepiedului.

Rămaseră cu toții nemișcați, cu zâmbetul înțepenit pe față, iar Paddington ieși de sub uriașa pânză neagră. Făcu niște reglaje complicate în fața aparatului, apoi îi anunță că urma să pună placa fotografică și dispăru din nou sub glugă.

Brusc, spre surpriza tuturor, aparatul de fotografiat începu să se clatine în față și în spate în cel mai periculos mod cu putință.

— Doamne sfinte! exclamă doamna Bird. Acum ce se mai întâmplă?

— Aveți grijă! strigă domnul Brown. Vine spre noi!

Se ridicară cu toții ca să se ferească, uitându-se cu ochi mari la aparatul care venea în direcția lor. După câțiva pași, însă, se opri, o luă la stânga și se îndreptă spre o tufă de trandafiri.

— Sper că Paddington n-a pățit nimic, zise îngrijorată doamna Brown.

— Mă întreb dacă n-ar trebui să intervenim, zise doamna Bird, auzind țipete înăbușite venind de sub pânza neagră.

Înainte să-i poată răspunde cineva, aparatul ricoșă în tufa de trandafiri și se întoarse pe pajiște. Înconjură de două ori bazinul cu apă din mijloc, sări în sus de câteva ori și în cele din urmă ateriză cu o bufnitură surdă în mijlocul celui mai frumos strat cu flori al domnului Brown.

— Cerule! strigă domnul Brown și se năpusti într-acolo. Petuniile mele!

— Lasă petuniile, Henry! exclamă doamna Brown. Ce-a pățit Paddington?

— Păi, nici nu mă mir, zise domnul Brown după ce se aplecă și dădu la o parte pânza neagră. Și-a prins capul în cutia aparatului.

— Mai bine ai grijă, tată, zise Jonathan, în timp ce domnul Brown se apucase să-l tragă de picioare pe ursuleț. S-ar putea să-și fi prins mustățile în declanșator.

Domnul Brown se opri din tras, se duse în fața aparatului și se uită prin obiectiv.

— Nu văd nimic, zise el după o vreme. E întuneric înăuntru.

Bătu în cutia aparatului de fotografiat și dinăuntru se auzi din nou un strigăt slab.

— Unt! zise doamna Bird și dădu fuga spre bucătărie. Nimic nu se compară cu untul, când rămâne cineva înțepenit.

Doamna Bird credea cu mare tărie în unt. O mai ajutase de câteva ori în trecut, când Paddington se mai blocase pe undeva.

Cu toate acestea, chiar dacă Jonathan ținea de un capăt și domnul Brown trăgea de celălalt, dură o vreme până să apară capul lui Paddington din cutia aparatului. Se așeză pe iarbă și își frecă urechile. Arăta foarte descurajat. Lucrurile nu se petrecuseră deloc cum plănuise el.

— Eu propun, zise domnul Brown după ce se restabili în cele din urmă ordinea, să aranjăm totul așa cum a fost mai înainte și să legăm o sfoară de declanșator. În felul acesta, Paddington va putea sta și el în grup și va face fotografia de la distanță. Mi s-ar părea mult mai sigur.

Toată lumea se declară de acord. Domnul Brown aranjă grupul ca la început, iar Paddington potrivi din nou aparatul și instală placa fotografică, având mare grijă să rămână la o distanță sigură. Mai avu loc un moment de cumpănă atunci când trase prea tare de sfoară, iar trepiedul se clătină și căzu, dar în cele din urmă sosi clipa cea mare. Se auzi țăcănitul declanșatorului și toată lumea se relaxă.

Bărbatul de la atelierul foto se arătă mai mult decât surprins atunci când, ceva mai târziu, îi intrară pe ușă toți membrii familiei Brown, împreună cu doamna Bird și cu Paddington.

— Este, în mod cert, un model foarte rar, zise el, examinând cu interes aparatul de fotografiat al ursulețului. Foarte rar... Am citit despre așa ceva, desigur, dar n-am văzut niciodată vreunul. Pare să fi fost ținut într-o cămară, pentru că e plin de unt.

— Am avut un mic accident când am încercat să potrivesc placa fotografică, zise Paddington.

— Suntem cu toții foarte nerăbdători să vedem fotografia, zise repede domnul Brown. Am putea aștepta aici până când o developați?

Bărbatul se arătă încântat să le facă pe plac. După câte văzuse și auzise, ardea și el de nerăbdare să vadă fotografia. Intră repede în camera obscură și îi lăsă pe oaspeți singuri în atelier. Nu-și mai amintea să-i mai fi călcat vreodată pragul un urs-fotograf.

Se întoarse curând cu o expresie plină de nedumerire.

— Spuneți că ați făcut fotografia asta azi? întrebă el, uitându-se pe geam la soarele strălucitor de afară.

— Exact, răspunse Paddington, privindu-l bănuitor.

— Ei bine, îi întinse fotograful placa ursulețului, e o fotografie frumoasă și reușită, vă vedeți cu toții, dar arată de parcă ar fi fost făcută pe ceață. Iar aceste pete de lumină ca niște raze de lună sunt foarte stranii!

Paddington luă placa fotografică din mâna bărbatului și o examină cu atenție.

— Cred că razele le-am făcut eu cu lanterna, când am examinat aparatul sub pătură, astă-noapte, zise el în cele din urmă.

— Mie mi se pare o fotografie foarte reușită, pentru o primă încercare, zise doamna Bird. Aș vrea șase bucăți, model carte poștală, vă rog. Sunt sigură că mătușa Lucy din Peru s-ar bucura să aibă și ea una. Paddington are în Peru o mătușă care locuiește la un azil pentru urși pensionari.

Proprietarul atelierului se gândi o clipă.

— Iată ce vă propun, zise el. Dacă îmi împrumutați aparatul pentru o săptămână, să-l expun în vitrină, vă fac câte exemplare doriți pentru poza de grup și, în plus, vă fotografiez pe fiecare gratis. Ce părere aveți?

— Ar fi trebuit să mă gândesc că, dacă ne fotografiază Paddington, urmează să se întâmple lucruri neobișnuite, zise domnul Brown în drum spre casă. Dar mi-a plăcut, ne-am ales cu atâtea poze fără niciun ban.

— Urșii cad întotdeauna în picioare, zise doamna Bird, privindu-l pe Paddington.

Dar Paddington nu mai asculta. Nu-și putea lua gândul de la aparatul lui de fotografiat. A doua zi dimineață dădu fuga la atelier și se bucură să-l vadă ocupând locul de onoare din mijlocul vitrinei.

Dedesubt era un anunț pe care scria:

UN MODEL FOARTE RAR DE APARAT DE FOTOGRAFIAT VECHI – DEȚINUT ÎN PREZENT DE DOMNUL PADDINGTON BROWN – UN TÂNĂR DOMN URS DIN ORAȘUL NOSTRU.

Dar pe Paddington îl încântă și mai tare anunțul următor. Scria: UN EXEMPLU AL ACTIVITĂȚII DOMNIEI SALE, iar dedesubt fusese expusă fotografia făcută de el.

Era puțin neclară și avea pe margini urme de labe, dar câțiva oameni din cartier trecură și îl felicitară, mulți dintre ei remarcând că puteau recunoaște clar toate personajele din poză. Una peste alta, se gândi Paddington, experiența meritase cu prisosință cele trei lire cheltuite.

CAPITOLUL DOI

Un loc de renovat

Paddington oftă adânc și își înfundă pălăria peste urechi, încercând să se ferească de zgomot. Se auzea mare tărăboi, iar pe el îl împiedica să scrie în jurnal.

Agitația începuse atunci când domnul și doamna Brown, împreună cu doamna Bird, fuseseră invitați pe neașteptate la o nuntă. Din fericire, Jonathan și Judy erau amândoi plecați de-acasă, altfel ar fi fost mult mai rău. Invitația nu-l includea și pe Paddington, dar ursulețului nu-i păsa. Nu se prea dădea în vânt după nunți, cu excepția șansei de a mânca tort, dar i se promisese o felie indiferent dacă mergea sau nu.

Începuse să-și dorească din suflet ca toată lumea să plece mai repede. Avea un motiv special pentru care dorea să fie singur în ziua aceea.

Oftă din nou, șterse cu grijă penița tocului de dosul labei, apoi curăță câteva pete de cerneală care ajunseseră într-un fel sau altul pe tăblia mesei. Exact la timp, pentru că în acel moment ușa se deschise furtunos și în cameră dădu buzna doamna Brown.

— Aici erai, Paddington! exclamă ea și se opri dintr-odată în mijlocul încăperii, uitându-se la el. Pentru numele lui Dumnezeu, de ce porți pălăria în casă? Și de ce ai limba albastră?

Paddington scoase limba cât de tare putea, ca s-o vadă.

— Chiar că-i o culoare caraghioasă, recunoscu el, scru-tându-și limba cu interes. Poate că mă îmbolnăvesc de ceva!

— În mod sigur o să te îmbolnăvești, dacă nu cureți mizeria asta, mormăi doamna Bird, intrând și ea pe ușă. Ia te uită! Călimări cu cerneală. Lipici. Resturi de hârtie. Foarfeca mea de croitorie cea mai bună. Marmeladă peste tot pe fața de masă și cine mai știe câte alte lucruri.

Paddington se uită în jur. Chiar era cam dezordine.

— Aproape am terminat, anunță el. Mai am de adăugat doar câteva rânduri. Îmi scriu memoriile.

Paddington își lua jurnalul foarte în serios și petrecea ore-n șir lipind cu grijă fotografii și scriindu-și aventurile. De când locuia la familia Brown se petrecuseră foarte multe lucruri și aproape trecuse de jumătatea caietului.

— Te rog să faci curățenie neapărat, zise doamna Brown, altfel nu-ți aducem tort. Acum plecăm, ai grijă ce faci! Și nu uita – când vine brutarul, spune-i că vrem două pâini.

După ce termină de spus toate acestea, doamna Brown flutură mâna în semn de la revedere și ieși imediat în urma doamnei Bird.

— Știți, le spuse doamna Bird celorlalți, când urcau în mașină, cred că ursulețul pune ceva la cale. Prea părea nerăbdător să plecăm.

— Nu știu ce să spun, zise doamna Brown. Nu-mi dau seama ce-ar putea să facă. Nu vom lipsi prea mult.

— Ha! replică doamna Bird neîncrezătoare. Bine-ar fi să fie așa, dar și-a petrecut jumătate de zi pe coridorul de la etaj. Sunt sigură că are ceva de gând.

Domnului Brown nu-i plăceau nici lui nunțile și își dorea în taină să fi putut rămâne și el acasă, ca Paddington. Se uită peste umăr în timp ce apăsa pe ambreiaj.

— Poate că ar fi trebuit să stau și eu acasă și să mă apuc să aranjez noua lui cameră.

— Henry, tu vii la nuntă și cu asta, basta! zise autoritară doamna Brown. Paddington poate să-și poarte singur de grijă.

Este un urs foarte capabil. În ce privește renovarea viitoarei lui camere, nu te-ai ocupat de nimic vreme de două săptămâni, sunt sigură că mai poate aștepta încă o zi.

Viitoarea cameră a lui Paddington devenise un subiect delicat în familia Brown. Trecuseră peste două săptămâni de când domnul Brown se gândise să se apuce de treabă. Până acum, jupuise de pe pereți tapetul vechi, scosese suporturile pentru tablouri, tocurile ușilor, clanțele și tot ce i se mai păruse șubred sau reușise el să facă să se clatine. Cumpărase în schimb tapet nou, var și vopsea, apoi totul rămăsese în stadiul acela.

Pe bancheta din spate a mașinii, doamna Bird se prefăcea că nu auzise nimic. Tocmai îi trecuse prin minte o idee și spera că Paddington nu se gândise la același lucru. Doamna Bird cunoștea însă mintea ursulețului mai bine decât oricine altcineva și se temea de ce putea fi mai rău. Nu avea de unde să știe, dar spaimele ei se materializau chiar în clipa aceea. Paddington tocmai zgâria în jurnal cuvintele „*nemec de făcut!*" și adăuga, cu litere mari: DECÂT SĂ-MI *ARENJEZ NOUA CAMERA*!

Îi venise ideea ceva mai devreme, când tocmai scria „nemec de făcut!" în jurnal. Paddington remarcase și mai înainte că ideile cele mai bune îi veneau atunci când „nu avea nimic de făcut".

Lucrurile lui erau de multă vreme împachetate și așteptau marea mutare în camera cea nouă. Ursulețul începuse să-și piardă răbdarea. De fiecare dată când avea nevoie de ceva, trebuia să desfacă metri întregi de sfoară și de hârtie de ambalaj.

Paddington sublinie cu roșu ultimele cuvinte și strânse bine totul. Încuie cu grijă jurnalul în valiză și urcă repede la etaj. Se oferise mereu să dea o lăbuță de ajutor la pregătirea camerei, dar, dintr-un motiv sau altul, domnul Brown pusese piciorul în prag și nici măcar nu-l lăsase să intre în încăperea cu pricina, în timp ce lucra. Paddington chiar nu înțelegea de ce. Era sigur că s-ar fi priceput foarte bine.

Camera despre care vorbim fusese folosită mulți ani ca spațiu de depozitare. Când păși înăuntru, Paddington descoperi că era chiar mai interesantă decât se aștepta. Închise ușa cu grijă în urma lui și adulmecă aerul. Mirosea interesant a var. În plus, existau acolo o scară, o masă de lucru pusă pe capre, câteva perii, mai multe rulouri de tapet și o găleată mare cu var.

Încăperea avea un ecou plăcut și Paddington petrecu multă vreme în mijlocul ei, amestecând în var și ascultându-și noua voce. În jurul lui existau o sumedenie de lucruri interesante și se dovedi dificil să-și dea seama cu ce trebuia să înceapă. În cele din urmă, ursulețul se hotărî să vopsească. Alese una dintre cele mai bune pensule ale domnului Brown, o înmuie în cutia cu vopsea și se uită prin cameră după un lucru de vopsit.

Își făcu de lucru cu rama ferestrei, dar după câteva minute simți că-și dorea să fi început cu altceva. Îl durea mâna de la pensulă. Renunță la ea și încercă să-și înmoaie laba în cutie, dar când s-o întindă, vopseaua se împrăștie mai degrabă pe sticlă decât pe rama de lemn, iar în cameră se făcu destul de întuneric.

„Poate că", își zise Paddington, fluturând pensula prin aer și adresându-se camerei în general, „poate că, dacă văruiesc mai întâi tavanul, pot acoperi cu tapet stropii căzuți pe pereți".

Dar, după ce începu treaba, Paddington descoperi că văruitul se dovedea la fel de greu ca și vopsitul. Reușea să ajungă la tavan doar stând în vârful picioarelor pe ultima treaptă a scării. Găleata cu var era prea grea ca s-o poată ridica, așa că trebuia să coboare de pe scară de fiecare dată când avea nevoie

să înmoaie pensula în ea. Iar când urca din nou, varul îi curgea pe labă și îi împâslea blana.

Paddington se uită în jur și începu să-și dorească să fi rămas la „nimic de făcut". Camera începuse să arate jalnic. Fără îndoială că doamna Bird va avea multe de comentat, când urma s-o vadă.

În acel moment, îi veni o idee. Paddington era un urs inventiv și nu se lăsa învins de lucruri. De curând urmărise cu mare interes cum se construia o casă în vecinătate. O văzuse mai întâi pe fereastra dormitorului, apoi petrecuse ore-n șir stând de vorbă cu muncitorii și urmărindu-i apoi cum urcau uneltele și cimentul la etaj folosind o frânghie și un scripete. Domnul Briggs, maistrul, îl ridicase chiar și pe el într-o găleată și îl lăsase să aranjeze câteva cărămizi.

Casa familiei Brown era veche, dar în mijlocul tavanului se vedea un cârlig mare, de care atârnase cândva o lustră voluminoasă. În plus, într-un colț al încăperii era și o frânghie...

Paddington se puse repede pe treabă. Mai întâi legă un capăt al frânghiei de găleata cu var. Pe urmă se urcă pe scară și trecu celălalt capăt prin cârligul din tavan. Chiar și așa, când coborî din nou, tot îi luă o groază de timp să apropie găleata de treapta de sus a scării. Era plină ochi cu var și cântărea foarte mult; ursulețul se văzu nevoit să se oprească la fiecare câteva secunde și să lege capătul frânghiei de scară, pentru mai multă siguranță.

Lucrurile o luară razna exact atunci când dezlegă frânghia pentru ultima oară. Paddington închisese ochii și se lăsase pe spate pentru efortul final cu care ar fi urcat găleata la locul potrivit, dar se trezi cu surprindere plutind prin aer. Era un sentiment foarte ciudat. Întinse un picior și încercă să găsească ceva în jur. Degeaba, nu exista nimic. Deschise un ochi și aproape că scăpă frânghia de uimire, când văzu găleata de var trecând în jos pe lângă el, spre podea.

Pe urmă, lucrurile s-au petrecut într-o fracțiune de secundă. Nici măcar nu avu timp să întindă o labă sau să strige după ajutor; ursul se izbi cu capul de tavan, iar găleata căzu cu zgomot pe podea.

Timp de câteva secunde, Paddington rămase atârnat acolo, lovind aerul cu picioarele și neștiind ce să facă. Sub el se auzea un gâlgâit. Se uită în jos și văzu cu groază că varul curgea din găleata răsturnată. Frânghia începu să se miște din nou, pentru că găleata se ușurase. După ce se goli, găleata trecu iute pe lângă urs, care coborî din tavan cu repeziciune și căzu direct în mijlocul bălții de var.

Dar necazurile lui nu s-au oprit aici. Încercând să-și recapete echilibrul pe podeaua alunecoasă, dădu drumul frânghiei, iar găleata se prăbuși din nou și îi căzu în cap, acoperindu-l complet.

Paddington rămase mai multe minute căzut pe spate în baltă, încercând să-și recapete răsuflarea și să priceapă ce anume îl lovise. Pe urmă se ridică în șezut, vru să-și dea găleata jos de pe cap, dar o trase iute înapoi. Podeaua se umpluse toată de var, cutiile de vopsea se răsturnaseră și din ele curgeau un pârâiaș verde și unul maro, iar coiful de zugrav al domnului Brown plutea într-un colț al camerei. Ursulețul îl văzu și se bucură enorm că el își lăsase pălăria la parter.

Un lucru era sigur: urma să aibă multe explicații de dat și avea să fie mult mai greu decât de obicei, pentru că nu-și putea explica nici lui însuși unde anume greșise.

Ceva mai târziu, în timp ce stătea pe găleata întoarsă cu fundul în sus și se gândea la toate aceste lucruri, îi veni ideea să pună tapetul. Paddington era o fire optimistă și îi plăcea să vadă partea bună a oricărei situații. Acum, dacă reușea să întindă tapetul cât se poate de bine, poate că ceilalți nici măcar nu aveau să bage în seamă ce mizerie făcuse.

Paddington avea mare încredere în priceperea lui de tape-
tar. Fără ca domnul Brown să știe, ursulețul îl urmărise de
multe ori prin ușa întredeschisă cum punea tapet și i se păruse
simplu. Nu trebuia decât să dai cu lipici pe spatele hârtiei, apoi
s-o întinzi pe perete. Părțile de sus ale pereților nu reprezen-
tau nici ele vreo dificultate, nici măcar pentru un urs. Putea
îndoi hârtia pe o mătură, apoi împingea mătura în sus și în
jos pe perete și întindea tapetul fără să se formeze creţuri și
cute neplăcute.

Acum, că-i venise ideea cu tapetul, Paddington se simțea
mult mai vesel. Găsi niște clei gata amestecat în altă găleată,
pe care o puse pe masa de lucru în timp ce desfăcea tapetul.
La început se dovedi cam dificil. De fiecare dată când desfă-
cea un sul de tapet, trebuia să se caţere pe masă și să împingă
un capăt ca să se întindă, în timp ce capătul celălalt se rula
înapoi în spatele lui. Dar reuși până la urmă să acopere cu
clei o întreagă foaie de tapet.

Coborî de pe masă, ocoli cu grijă băltoacele mai mari de
var, care începeau de-acum să se întărească, și ridică foaia de
tapet pe o mătură. Era o foaie lungă, mult mai lungă decât i
se păruse lui Paddington atunci când o unsese cu clei. Cum,
necum, pe măsură ce ursulețul flutura mătura deasupra capu-
lui, tapetul începu să se înfășoare în jurul lui.

Paddington se luptă și reuși să se elibereze, apoi se îndreptă
bâjbâind spre un perete. Lipi foaia de tapet și se trase în spate să

analizeze rezultatul. Hârtia se rupsese și se răsucise în multe locuri și avea o grămadă de urme de clei pe partea din față, dar Paddington se simți foarte încântat de sine. Se hotărî să mai pună o foaie, apoi încă una, umblând între masa de lucru și pereți cât de repede îl duceau picioarele. Se străduia să termine treaba înainte să se întoarcă familia Brown.

Unele fâșii nu se atingeau, altele se suprapuneau una peste alta și cele mai multe aveau pete urâte de clei sau de var. Nicio bucată de tapet nu ieșise atât de dreaptă pe cât ar fi vrut el, dar când își lăsă capul într-o parte și se uită printre gene, Paddington consideră că în general arăta destul de bine și era foarte mândru de el.

În timp ce dădea o raită finală ca să-și analizeze munca, Paddington descoperi un lucru foarte ciudat. În cameră existau o fereastră și un șemineu, dar nu mai rămăsese nici urmă de ușă. Ursulețul încetă să se mai uite printre gene și făcu ochii mari. Își aducea aminte clar că *exista* o ușă, pentru că pe acolo intrase. Analiză toți cei patru pereți. Nu se mai vedea prea bine, pentru că vopseaua de pe geam începuse să se usuce și lumina intra cu mare greutate. Era, totuși, cât se poate de clar că nu mai exista nicio ușă!

* * *

— Nu pot să înțeleg, zise domnul Brown când intră în sufragerie. M-am uitat peste tot și nici urmă de Paddington. V-am spus că trebuia să fi rămas acasă cu el.

Doamna Brown părea foarte îngrijorată.

— Vai de mine, zise ea, sper că n-a pățit nimic! Nu-i stă deloc în fire să plece fără să ne lase un bilet.

— Nu-i nici în camera lui, zise Judy.

— Iar domnul Gruber nu l-a văzut, adăugă Jonathan. Tocmai m-am întors de la piață și mi-a spus că nu l-a mai văzut de dimineață, de când au băut împreună cacao.

— L-ați zărit dumneavoastră cumva pe Paddington? o întrebă doamna Brown pe doamna Bird, care tocmai intra pe ușă aducând o tavă cu lucruri pentru cină.

— Nu știu nimic de el, zise doamna Bird. Am destulă bătaie de cap cu țevile de apă, nu-mi mai trebuie și urși dispăruți. Cred că au prins un dop de aer, pentru că trosnesc și pocnesc de când am venit.

Domnul Brown ascultă și el.

— Într-adevăr, par a fi țevile de apă, zise el. Și totuși, nu sună chiar ca de obicei. Parcă sunt mai degrabă niște bufnituri, adaugă el, ieșind pe hol.

— Strașnic! strigă Jonathan. Ascultați... Cineva ne transmite un S.O.S.

Se uitară unii la alții, apoi exclamară într-un glas:

— Paddington!

— Doamne, ai milă! zise doamna Bird după ce se năpustiseră cu toții prin ușa acoperită cu tapet. Cred că a fost un cutremur! Iar ăsta nu știu dacă-i Paddington sau stafia lui!

Arătă spre silueta mică și albă care se ridicase de pe găleată ca să-i întâmpine.

— N-am putut găsi ușa, se plânse Paddington. Cred că am acoperit-o cu tapet atunci când m-am ocupat de pereți. Când am venit, era aici. Țin minte bine că am văzut-o. Așa că m-am apucat să bat cu coada măturii în podea.

— Maaamă! exclamă admirativ Jonathan. Ce mizerie!

— Ai... acoperit... ușa... cu... tapet... atunci... când... te-ai... ocupat... de... pereți, repetă lent domnul Brown.

Înțelegea lucrurile mai încet, uneori...

— Exact, zise Paddington. Am vrut să vă fac o surpriză. Mă tem că am făcut puțin deranj, dar nu s-a uscat încă...

În timp ce domnul Brown asimila încet ideea, doamna Bird sări în ajutorul lui Paddington.

— Nu cred că mai are rost să începem o anchetă, zise ea. Ce-i făcut e bun făcut. Și, după părerea mea, e și o parte bună aici. Poate că acum chiar va trebui să chemăm un meseriaș să facă treaba.

Doamna Bird îl luă pe ursuleț de mână și ieși cu el din cameră.

— În ce te privește, tinere, adăugă ea, tu intri direct în cada cu apă fierbinte, înainte să se întărească varul, lipiciul și ce-o mai fi!

Domnul Brown se uită lung după doamna Brown și după Paddington, apoi la urmele albe de labe rămase în urmă.

— Urși! zise el cu amărăciune.

După baie, Paddington rămase îndelung în camera lui și amână să coboare la cină până în ultimul moment. Avea o senzație neplăcută de rușine. Dar, surprinzător, nimeni nu rosti în seara aceea cuvântul „renovare".

Și mai surprinzător, după ce se urcă în pat să-și bea ceașca de cacao, soții Brown și doamna Bird veniră pe rând la el în cameră și îi dădură fiecare câte zece penny. Povestea asta părea foarte misterioasă, dar Paddington nu riscă să pună vreo întrebare, de frică să nu-i facă să se răzgândească.

Judy rezolvă misterul atunci când veni și ea să-i spună noapte bună.

— Cred că mama și doamna Bird ți-au dat bani pentru că nu vor să se mai ocupe tata de renovat, îi explică ea. Mereu se apucă de treburi pe care nu le termină niciodată. Iar tata ți-a dat și el pentru că oricum n-avea de gând să termine vreodată. Acum vor chema un meșter, așa că toată lumea-i mulțumită.

Paddington sorbi gânditor din cacao.

— Aș putea să mă apuc de renovat încă o cameră și poate că aș mai primi treizeci de penny... zise el.

— Nici să nu te gândești! îi răspunse fata cu asprime. Ai făcut destule pentru o singură zi. În locul tău, nici n-aș folosi cuvântul „renovare" mult timp de-acum înainte.

— Poate că ai dreptate, zise somnoros Paddington și își întinse labele. Dar *chiar* n-aveam nimic de făcut!

Paddington devine detectiv

Amenajarea dormitorului folosit înainte ca debara se ter-
mină în cele din urmă și toată lumea, inclusiv Paddington,
recunoscu imediat că era un ursuleț foarte norocos pentru
că se putea muta într-o cameră atât de drăguță. Vopseaua
albă strălucea de se putea oglindi în ea, tapetul de pe pereți
era colorat și vesel, iar ursulețul avea chiar și mobilă nouă,
special pentru el.

— Unde merge mia, merge și suta, declarase domnul
Brown și îi cumpărase lui Paddington un pat nou-nouț cu

picioare scurte, o saltea cu arcuri și un dulap pentru toate lucrușoarele lui.

Mai existau și alte piese de mobilier, iar doamna Brown avusese chiar extravaganța să-i cumpere un covor gros de pus pe jos. Paddington era foarte mândru de covorul lui și îl acoperise grijuliu cu bucăți de ziare vechi acolo pe unde călca, pentru că nu voia să-l murdărească pășind cu labele direct pe el.

Contribuția doamnei Bird o reprezenta perdeaua nouă și strălucitoare de la fereastră, care îi plăcea enorm lui Padding-ton. De fapt, în prima noapte dormită în noua lui cameră, nu se putuse hotărî dacă să o tragă peste fereastră și s-o admire în toată splendoarea ei sau s-o lase strânsă și să poată vedea pe geam. Se dădu jos din pat de mai multe ori și în cele din urmă decise s-o tragă numai pe jumătate, ca să se poată bucura de ce era mai bun din ambele lumi.

Ceva ciudat îi atrase apoi atenția. Paddington se obișnuise să aibă o lanternă lângă pat pentru orice eventuală urgență de peste noapte. Tocmai o aprindea și o stingea în mod repetat ca să poată admira perdeaua, când zări ceva. De fiecare dată când aprindea el lanterna, de undeva din afară îi răspundea o lumină asemănătoare. Se ridică în fund pe pat, se frecă la ochi și se uită fix în direcția ferestrei.

Hotărî să încerce un semnal mai complicat. Două lumini scurte, urmate de câteva mai lungi. Procedă întocmai și aproape căzu din pat de surpriză. De fiecare dată când transmitea semnalul luminos, de pe fereastră i se răspundea la fel.

Paddington sări din pat și dădu fuga la geam. Rămase acolo multă vreme, scrutând grădina din priviri, dar fără să reușească să distingă ceva. Se asigură că fereastra era închisă bine, trase perdeaua complet și se băgă imediat în pat, acoperindu-se cu pătura peste cap ceva mai mult decât de obicei. Totul i se părea teribil de misterios, iar lui Paddington nu i se părea potrivit să-și asume vreun risc.

Primul indiciu îl află a doua zi la micul dejun de la domnul Brown.

— Cineva mi-a furat dovleacul cel mare! anunță el îmbufnat. Cred că s-a întâmplat în timpul nopții.

De câteva săptămâni, domnul Brown îngrijea cu multă grijă un dovleac uriaș pe care voia să-l prezinte la o expoziție de legume. Îl uda în fiecare dimineață și seară și îl măsura cu grijă zilnic înainte să se ducă la culcare.

Doamna Brown schimbă o privire cu doamna Bird.

— Lasă, Henry dragă, nu contează! zise ea. Mai ai o mulțime de dovleci la fel de buni.

— Pentru *mine* contează, răspunse morocănos domnul Brown. Ceilalți nu sunt la fel de frumoși și nici nu vor ajunge destul de mari la timp pentru expoziție.

— Poate că ți l-a furat unul dintre ceilalți concurenți, tată, zise Jonathan. Poate că rivalii tăi nu vor să câștigi. Era un dovleac strașnic!

— Se poate, zise domnul Brown, aproape încântat de acest gând. M-am gândit deja să ofer o mică recompensă pentru el.

Doamna Bird își turnă grăbită încă o ceașcă de ceai. Ea și doamna Brown păreau foarte dornice să schimbe subiectul cât mai repede. Paddington reținu cuvântul „recompensă" și ciuli imediat urechile. Își termină imediat pâinea prăjită cu marmeladă, ceru voie să plece de la masă și dispăru la etaj fără să ceară nici măcar a treia cană de ceai.

Puțin mai târziu, în timp ce o ajuta pe doamna Bird să spele vasele, doamna Brown observă pentru prima dată că în grădină se petrecea ceva ciudat.

— Ia uitați-vă! zise ea, mai-mai să scape o farfurie de uimire. În spatele stratului de varză! Ce-o fi acolo?

Doamna Bird îi urmă privirea pe fereastră spre ceva maro și fără formă care se tot ridica și cobora.

— E Paddington, zise ea și se lumină la față. Îi recunosc pălăria oriunde ar fi!

— Paddington? repetă doamna Brown. De ce Dumnezeu se târăște printre verze în patru labe?

— Pare să fi pierdut ceva, zise doamna Bird. Are la el lupa domnului Brown.

— Ei bine, oftă doamna Brown, mă aștept să aflăm curând despre ce este vorba.

Fără să știe cât interes provocase, Paddington se așeză în spatele unei tufe de zmeură și scoase un carnețel. Îl deschise la o pagină pe care scrisese deja LISTĂ DE ENDICII. Ursulețul citise de curând un roman polițist împrumutat de la domnul Gruber și se prefăcea acum că era el însuși detectiv. Misterioasele semnale luminoase de noaptea trecută și dispariția dovleacului domnului Brown îl făcuseră să creadă că se ivise în sfârșit ocazia potrivită să se comporte ca atare.

Până acum, totul i se păruse mai degrabă dezamăgitor. Găsise câteva urme de pași, dar toate îl conduceau înapoi spre casă. În golul mare rămas în locul dovleacului uriaș al domnului Brown se aflau doi gândaci morți și un pachet gol de semințe – nimic altceva!

Dar Paddington notă cu grijă în carnețel fiecare detaliu și desenă apoi o hartă a grădinii, marcând cu un X locul în care fusese mai înainte dovleacul. Pe urmă se întoarse în camera lui de la etaj ca să se gândească la toate. Ajuns acolo, adăugă pe hartă încă un detaliu – desenul casei noi care se construia în capătul grădinii familiei Brown. Ursulețul ajunsese la concluzia că numai de acolo putuseră veni semnalele luminoase de noaptea trecută. Se uită îndelung spre casa cea nouă prin binoclul lui de operă, dar nu văzu pe nimeni altcineva în afara constructorilor.

Ceva mai târziu, cineva care s-ar fi uitat la casa familiei Brown ar fi văzut silueta măruntă a unui ursuleț ieșind pe ușa din față și pornind către piață. Din fericire pentru planurile lui, nimeni nu-l văzu pe Paddington când plecă, și nici când se întoarse mai târziu ducând un pachet uriaș în brațe. Se strecură pe scara dinspre etaj cu ochii strălucind de încântare și intră la el în cameră, închizând cu grijă ușa în urma lui. Ursulețului îi plăceau pachetele, iar ăsta era unul deosebit de interesant.

Lui Paddington îi luă multă vreme să desfacă nodurile sforii, pentru că îi tremurau labele de emoție, dar când reuși să dea deoparte hârtia cafenie scoase la iveală o cutie de carton colorată strălucitor, pe care scria: TRUSĂ DE DEGHIZARE PENTRU MAEȘTRII DETECTIVI.

Paddington se luptase îndelung cu sine însuși încă de când văzuse trusa în vitrina unui magazin, în urmă cu mai multe zile. Deși șapte lire i se părea un preț uriaș pentru orice – mai ales când aveai o liră pe săptămână ca bani de buzunar – ursulețul goli conținutul cutiei pe podea foarte încântat de sine. Erau acolo o barbă neagră și lungă, ochelari cu lentile fumurii, un fluier de polițist, câteva sticle cu chimicale pe care scria: „A se manevra cu atenție!" – Paddington se grăbi să le pună înapoi în cutie – un set pentru luat amprente, o sticluță cu cerneală invizibilă și un manual cu instrucțiuni.

Părea un echipament de deghizare foarte bun. Paddington încercă să-și scrie numele pe capacul cutiei cu cerneală invizi-bilă și descoperi că, într-adevăr, n-o putea vedea. Pe urmă își luă singur amprentele labelor și suflă de câteva ori în fluierul de polițist, ascuns sub așternuturi. Se gândi că mai bine ar fi făcut acțiunile astea în ordine inversă, întrucât pe cearșafuri apărură o mulțime de urme de cerneală, despre care își dădu seama că aveau să se dovedească greu de explicat.

Cel mai mult dintre toate îi plăcea barba. Avea două bucăți de ață cu care putea fi prinsă după urechi, iar când Padding-ton se întoarse brusc și se zări în oglindă, tresări zdravăn. Cu pălăria pe cap și îmbrăcat într-o haină veche de ploaie de-a lui Jonathan, pe care doamna Brown o pusese deoparte ca s-o ducă la talcioc, abia dacă se mai recunoștea. După ce se studie în oglindă din toate unghiurile posibile, Paddington decise

să coboare la parter. Mergea cu destulă dificultate; haina lui
Jonathan îi era prea lungă și se tot împiedica de ea. În plus,
urechile lui păreau să nu se potrivească bine cu barba, pe care
se văzu nevoit s-o țină cu o labă în timp ce cobora scările,
sprijinindu-se în același timp cu cealaltă de balustradă. Se
concentrase foarte tare asupra a ceea ce făcea, așa că n-o auzi
pe doamna Bird apropiindu-se decât când ajunsese aproape
lângă el.

Doamna Bird tresări și mai tare când aproape că se izbi
de Paddington.

— A, Paddington, începu ea, tocmai veneam să te caut.
Te-ar deranja să te duci până la piață și să-mi cumperi un pa-
chet de unt?

— Eu nu sunt Paddington, se auzi o voce țâfnoasă din spatele bărbii. Sunt Sherlock Holmes, detectivul cel faimos!

— Bine, dragă, zise doamna Bird. Dar nu uita de unt. Avem nevoie la masă.

Acestea fiind zise, doamna Bird se întoarse și coborî din nou scările, îndreptându-se spre bucătărie. Ușa se închise în urma ei și Paddington auzi murmurul unor voci.

Își scoase barba, teribil de dezamăgit.

„Treizeci și cinci de checuri cu stafide!" zise el amărât, fără să i se adreseze cuiva anume.

Îi venea să se ducă la magazin și să ceară banii înapoi. Trusa costase cât treizeci și cinci de checuri cu stafide, iar treizeci și cinci de checuri cu stafide însemnau ceva! Lui Paddington îi luase multă vreme să economisească atâția bani.

Însă ieșind pe ușă, șovăi. I se părea păcat să renunțe la bunătate de deghizare. Chiar dacă doamna Bird îl recunoscuse, poate că domnul Briggs, maistrul constructorilor casei din vecini, nu va reuși s-o facă. Paddington hotărî să mai încerce o dată. Dacă reușea să adune indicii suplimentare?

Când ajunse la casa cea nouă, ursulețul se simțea deja mult mai încântat de sine însuși. Observase cu coada ochiului destulă lume care se uitase nedumerită la el în timp ce trecea. El îi privise pe deasupra ochelarilor fumurii, iar unii dintre ei se grăbiseră să treacă pe celălalt trotuar.

Se strecură spre casa în construcție până când auzi voci. Păreau să vină printr-o fereastră deschisă de la primul etaj și

recunoscu fără dubiu vocea domnului Briggs. De perete şedea sprijinită o scară; Paddington se căţără pe ea şi ajunse cu capul la nivelul tocului ferestrei, apoi se uită cu atenţie înăuntru.

Domnul Briggs şi oamenii lui se învârteau în jurul unei sobiţe rotunde şi îşi făceau ceai. Paddington îl fixă cu privirea pe domnul Briggs, care tocmai turna apă în ceainic. Îşi aranjă barba, apoi suflă tare în fluierul de poliţist.

Se auzi zgomot de porţelan spart şi domnul Briggs sări cât colo. Arătă spre fereastră cu mâna tremurând:

— Hait! strigă el. Ia uitaţi! O fantomă!

Ceilalţi se uitară unde arăta el şi rămaseră cu gura căscată. Paddington zăbovi destul cât să vadă patru chipuri albindu-se de groază când îl priveau, apoi se lăsă să alunece pe scară cu toate cele patru labe şi se ascunse după o grămadă de cărămizi. Aproape imediat auzi izbucnind dinăuntru voci agitate.

— Nu-l mai văd acu', zise o voce. Tre' să fi dispărut.

— Hait! repetă domnul Briggs, ştergându-şi sprâncenele cu o batistă pătată. Orice-o fi fost acolo, eu nu mai vreau să văd niciodată! M-au trecut fiori reci până-n creştetul dovleacului!

Închise apoi fereastra şi vocile se stinseră.

Din spatele grămezii de cărămizi, lui Paddington nu-i venea să-şi creadă urechilor. Nu i-ar fi trecut niciodată prin minte că domnul Briggs şi muncitorii lui puteau fi amestecaţi în problema aceea. Şi totuşi, îl auzise clar pe domnul Briggs zicând că se răcise dovleacul!

Ursuleţul îşi scoase barba şi ochelarii, se aşeză la adăpostul cărămizilor şi făcu mai multe însemnări în carneţel, cu cerneala lui invizibilă. Pe urmă porni agale, gânditor, spre băcănie. Ziua lui ca detectiv se dovedise plină de succes. Se hotărî să mai viziteze o dată casa în construcţie când urma să rămână goală.

* * *

Era miezul nopţii. În casa familiei Brown, toată lumea se dusese la culcare.

— Ştii, zise doamna Brown chiar în clipa în care ceasul bătea ora douăsprezece, poate că ţi se pare caraghios, dar sunt sigură că Paddington pune ceva la cale.

— Nu-i nimic caraghios în asta, răspunse somnoros domnul Brown. El mereu pune *ceva* la cale. De data asta ce-o mai fi?

— O nouă boacănă, zise doamna Brown. Nu știu exact ce anume. Dar azi-dimineață umbla pe-aici purtând o barbă falsă. A speriat-o destul de zdravăn pe doamna Bird, sărmana de ea! Pe urmă, toată seara a stat și a tot scris în carnețelul lui... Și știi ceva?

— Nu, zise domnul Brown, înăbușindu-și un căscat. Ce anume?

— M-am uitat peste umărul lui și n-am văzut nimic în carnet!

— Mă rog, urșii vor fi întotdeauna urși, zise domnul Brown, apoi se întoarse să stingă lumina. Ce ciudat! exclamă el cu mâna întinsă spre veioză. Aș putea să jur că tocmai am auzit un fluier de polițist.

— Aiurea, Henry, zise doamna Brown. Probabil că deja visezi.

Domnul Brown ridică din umeri și stinse lumina. Era mult prea obosit ca să mai stea la discuții. În același timp, *știa sigur* că auzise un fluier de polițist. Închise ochii și se pregăti să adoarmă, fără să-i treacă prin minte că tocmai Paddington fusese cel care fluierase.

Ursulețul se strecurase afară la adăpostul întunericului și se dusese să dea târcoale casei în construcție. Între timp, i se întâmplaseră multe lucruri. Atât de multe și atât de repede

unul după altul, încât aproape că-și dorea să nu-i fi trecut niciodată prin minte să fie detectiv.

Se bucură nespus când, ca urmare a mai multor fluierături sonore de-ale lui, o mașină mare și neagră opri la bordură, iar din ea coborâră doi bărbați în uniformă.

— Bună seara, bună seara, zise primul dintre ei, uitându-se insistent la Paddington. Ce se petrece aici?

Paddington arătă dramatic cu laba în direcția casei celei noi.

— Am prins un hoț! anunță el.

— Un *ce*? întrebă al doilea polițist, măsurându-l și el cu privirea pe Paddington.

I se întâmplaseră multe lucruri ciudate de când făcea această meserie, dar niciodată până acum nu mai fusese chemat în plină noapte de către un ursuleț. În plus, cel pe care-l avea în față purta o barbă lungă și neagră și un impermeabil.

— Un hoț, repetă Paddington. Cred că el a furat dovleacul domnului Brown!

— Dovleacul domnului Brown? repetă primul polițist, părând mai degrabă nedumerit, și-l urmă pe Paddington spre intrarea lui secretă în casă.

— Exact, zise Paddington. Iar acum mi-a furat mie sendvișurile cu marmeladă. Mi-am luat un pachet mare, în caz că mi s-ar fi făcut foame cât timp așteptam.

— Sigur că da, zise al doilea polițist, încercând să-l ia peste picior pe Paddington. Sendvișurile cu marmeladă. Și unde-i hoțul acum, mănâncă? întrebă el, bătându-se cu palma peste frunte și aruncându-i o privire colegului său.

— Așa cred, zise Paddington. L-am închis în cameră și am pus sub ușă o bucată de lemn, ca să nu poată ieși. Mi-am prins barba într-unul dintre sendvișuri și am aprins lanterna ca să văd cum o dezlipesc de marmeladă. Atunci s-a întâmplat!

— Ce s-a întâmplat? întrebară în cor cei doi polițiști.

Le venea foarte greu să țină pasul cu felul în care ursulețul descria evenimentele.

— Am văzut pe fereastră că cineva a aprins o lumină, le explică Paddington cât mai răbdător. Pe urmă am auzit pași pe scară. M-am ascuns și am așteptat. Hoțul este acolo! arătă el spre ușa din capătul treptelor.

Înainte ca polițiștii să mai poată întreba ceva, se auziră niște bubuituri și o voce care striga:

— Dați-mi drumul!

— Dumnezeule! exclamă primul polițist. *Chiar este* cineva acolo! Ne puteți oferi o descriere a făptașului, domnule? îl întrebă el pe Paddington, cu un respect cu totul nou.

— Are vreo doi metri și jumătate, zise Paddington într-o doară, și cred că s-a supărat foarte rău când a văzut că nu mai poate ieși.

— Hmm! zise al doilea polițist. Ei bine, vom afla curând. Dați-vă înapoi!

Scoase pana de lemn de sub ușă și o deschise larg, luminând încăperea cu lanterna.

Toată lumea stătea cu ochii-n patru și se aștepta să se petreacă tot ce-i mai rău. Spre surpriza lor, din cameră ieși alt polițist.

— Am fost închis înăuntru! exclamă el furios. Am văzut niște lumini într-o casă goală și am venit să verific... Când colo, ce să vezi? Am fost închis înăuntru de un *ursuleț*! Chiar de el, dacă nu mă înșel, zise polițistul supărat, arătând spre Paddington.

Paddington începu brusc să se simtă foarte mic. Toți cei trei polițiști se uitau acum la el. De emoție, ursulețului i se desprinse barba de după o ureche.

— Hmm, zise primul polițist. Ce căutai *dumneata* într-o casă nelocuită, după miezul nopții, tinere urs? Și de ce ești deghizat astfel? Va trebui să te ducem la secție și să-ți punem câteva întrebări...

— E ceva mai dificil de explicat, zise posomorât Paddington. Mă tem că o să dureze destul de mult. Vedeți... Totul a început de la dovleacul domnului Brown, cel pe care-l pregătea pentru expoziția de legume...

Polițiștii nu se dovediră singurii cărora le veni greu să înțeleagă. Domnul Brown încă mai avea și el întrebări de pus, și asta la multă vreme după ce Paddington se întorsese de la secția de poliție în sânul protector al familiei.

— Tot nu văd ce legătură are disparția dovleacului cu arestarea lui Paddington, zise domnul Brown pentru a suta oară.

— Dar Paddington n-a fost arestat, Henry, îi răspunse doamna Brown. A fost doar reținut ca să răspundă la niște întrebări. Și nu făcea decât să încerce să-ți recupereze dovleacul. Ar trebui să-i fii cât se poate de recunoscător.

Doamna Brown oftă. Mai devreme sau mai târziu, trebuia să-i spună adevărul și domnului Brown. Lui Paddington i-l mărturisise deja.

— Mă tem că nu-i decât vina mea, zise ea. Vezi tu... Eu ți-am tăiat dovleacul, din greșeală!

— Tu? exclamă domnul Brown. Mi-ai tăiat dovleacul pentru expoziție?

— Păi... nu mi-am dat seama că acela era, zise doamna Brown. Știi cât de mult îți place dovleacul umplut... L-am mâncat aseară la cină!

Întors în camera lui, Paddington se așeză în pat foarte mulțumit de sine. Avea o mulțime de lucruri să-i povesteas-că mâine-dimineață prietenului său, domnul Gruber. După ce inspectorul de la secția de poliție ascultase întreaga lui poveste, îl felicitase pe Paddington pentru curaj și ordonase să fie eliberat imediat.

— Mi-ar plăcea să existe mai mulți urși ca dumneata, domnule Brown, îi spusese inspectorul și îi făcuse cadou ca amintire un fluier adevărat de polițist.

Chiar și polițistul pe care-l închisese mărturisise că acum înțelegea cum se petrecuse totul.

În plus, descoperise și misterul semnalelor luminoase. Nu fusese nimeni în grădină, pur și simplu lanterna lui se reflectase în sticla geamului. Când stătea la capătul patului, se putea vedea destul de bine chiar și pe el însuși.

Într-un anume fel, lui Paddington îi părea rău după dovleac. Mai ales că nu putuse obține recompensa. Era, însă, extrem de bucuros că nu fusese vinovat domnul Briggs. Îi plăcea mult de el și, în plus, maistrul îi promisese încă un urcuș cu găleata. I-ar fi părut rău să rateze așa ceva!

Paddington și focul de sărbătoare

Curând după aventura cu dovleacul, vremea se schimbă. Începu să se răcească. Copacii își pierdeau frunzele, iar afară se întuneca din ce în ce mai devreme. Jonathan și Judy începură școala, iar Paddington rămânea singur aproape toată ziua.

Într-o dimineață, spre sfârșitul lui octombrie, sosi o scrisoare cu numele lui pe plic. Era marcată ca „urgentă" și „strict personală", iar scrisul semăna clar cu al lui Jonathan. Paddington nu prea primea scrisori, doar din când în când câte o vedere de la mătușa Lucy din Peru, așa că era de-a dreptul entuziasmat.

Se dovedi o scrisoare mai degrabă misterioasă, iar Paddington nu reuşi să înţeleagă mare lucru din ea. Jonathan îl ruga să adune toate frunzele uscate pe care le găsea într-o grămadă care să fie pregătită pentru când venea el acasă, peste câteva zile. Ursuleţul rămase multă vreme nedumerit şi până la urmă se hotărî să discute această problemă cu domnul Gruber, prietenul lui. Domnul Gruber se pricepea la o mulţime de lucruri, iar când nu putea răspunde imediat la o întrebare, avea o bibliotecă uriaşă în magazinul lui de antichităţi şi ştia unde să caute. El şi Paddington discutau îndelung chestiuni generale, în timp ce beau împreună dimineaţa o ceaşcă de cacao, iar domnului Gruber îi plăcea deosebit de mult să-l ajute pe Paddington când avea probleme.

— O problemă împărtăşită este o problemă înjumătăţită, domnule Brown, obişnuia el să spună. Şi trebuie să-ţi mărturisesc că, de când ai venit la noi în cartier, n-am rămas niciodată fără chestiuni la care să mă gândesc.

Imediat după micul dejun, Paddington îşi puse fularul şi haina de ploaie, luă lista de cumpărături de la doamna Bird şi plecă trăgându-şi coşul pe roţi spre magazinele de pe Portobello Road.

Lui Paddington îi plăcea să facă cumpărături. Era un ursuleţ îndrăgit de vânzătorii de pe stradă şi din piaţă, chiar dacă întotdeauna se tocmea la sânge. Compara de fiecare dată cu grijă preţurile de la diferite tarabe înainte să cumpere ceva.

Doamna Bird spunea că reușea să se descurce cu banii de coșniță de două ori mai bine decât oricine altcineva.

Afară se dovedi chiar mai frig decât se aștepta Paddington. Când se opri la chioșcul de ziare, respirația lui făcu partea de jos a geamului să se aburească. Paddington era un urs politicos; îl văzu pe vânzător privindu-l aspru prin ușă și începu să șteargă aburul cu laba, în caz că mai voia să se uite cineva prin vitrină. Observă imediat pe dinăuntru ceva schimbat față de ultima dată.

Înainte, în spatele geamului era plin de ciocolată și de dulciuri. Acum dispăruseră toate și în locul lor apăruse un manechin jerpelit ca o sperietoare, așezat pe o grămadă de bușteni. Ținea în mână un anunț pe care scria:

LUME, LUME, NU UITA!
5 NOIEMBRIE E ZIUA TA!
PRAF DE PUȘCĂ, TRĂDĂRI ȘI COMPLOTURI!

Dedesubt, pe un afiș și mai mare, se menționa:

CUMPĂRAȚI ARTIFICII DE AICI!

Paddington studie cu multă atenție ambele anunțuri, apoi se grăbi spre domnul Gruber, oprindu-se numai la brutărie ca să-și cumpere porția zilnică de chec pentru care lăsase comandă permanentă.

Acum, că venise frigul, domnul Gruber nu mai stătea dimineața pe trotuarul din fața prăvăliei. Aranjase în schimb o canapea în spatele magazinului, lângă sobă. Era un colț tare plăcut, înconjurat de cărți, dar lui Paddington îi plăcea mai mult când ședeau afară. De exemplu, canapeaua era veche și umplutura din păr de cal ieșise prin tapițerie și-l înțepa, dar uită imediat această problemă după ce îi dădu domnului Gruber porția lui de chec și începu să-i povestească întâmplările din dimineața aceea.

— Praf de pușcă, trădare și complot? întrebă mirat domnul Gruber, în timp ce îi întindea lui Paddington o ceașcă de cacao. Asta înseamnă că vine Ziua lui Guy Fawkes.[1]

Zâmbi stânjenit și își șterse ochelarii când îl văzu pe Paddington în continuare nedumerit.

— Uit mereu, domnule Brown, zise mai departe domnul Gruber, că ai venit din îndepărtatul Peru. Bănuiesc că nu știi cine a fost Guy Fawkes.

Paddington își șterse mustățile de cacao cu dosul labei, ca să fie sigur că arătau fără pată, apoi încuviință dând din cap.

---

[1] Guy Fawkes (13 aprilie 1570 – 31 ianuarie 1606) a fost membru al unui grup de restauraționiști catolici din Anglia care au plănuit Complotul prafului de pușcă din 1605. Scopul lor era înlăturarea guvernării protestante din țară prin aruncarea în aer a clădirii Parlamentului în timp ce înăuntru se aflau regele Iacob I și întreaga nobilime protestantă. *Noaptea lui Guy Fawkes* comemorează complotul și se sărbătorește în Marea Britanie în ziua de 5 noiembrie. La festivitate se arde o păpușă care îl reprezintă pe Fawkes și este adesea însoțită de un foc de artificii. (*N. tr.*)

— Ei bine, bănuiesc că ai apucat să vezi până acum focuri
de artificii, continuă domnul Gruber. Din câte îmi aduc eu
aminte, când am fost cu mulți ani în urmă în America de
Sud, se foloseau și acolo în zilele de sărbătoare.

Paddington aprobă. Acum, că domnul Gruber îi vorbise
despre ele, își aminti că mătușa Lucy îl dusese și pe el o dată
să vadă focuri de artificii.

— Aici folosim artificii doar o dată pe an, pe cinci noiem-
brie, zise domnul Gruber.

Continuă apoi să-i povestească lui Paddington tot ce știa
despre complotul menit să arunce în aer, cu secole în urmă,
clădirea Parlamentului, și cum descoperirea lui la timp era
sărbătorită încă de-atunci cu focuri în aer liber și artificii.

Domnul Gruber se pricepea de minune să explice orice. După ce termină, Paddington își exprimă recunoștința. Domnul Gruber oftă și în ochii lui apăru o urmă de nostalgie.

— A trecut multă vreme de când am organizat eu însumi focuri de artificii, domnule Brown, zise el. Foarte multă vreme...

— Ei bine, cred că anul acesta vom organiza noi, domnule Gruber, zise plin de importanță Paddington. Veți fi oaspetele nostru.

Domnul Gruber părea atât de bucuros de invitație, încât Paddington se grăbi dintr-odată să termine de făcut cumpărăturile. Aștepta cu nerăbdare să treacă din nou pe la prăvălia vânzătorului de ziare ca să examineze cum se cuvine artificiile.

Intră în magazin, dar proprietarul îl privi bănuitor de deasupra tejghelei.

— Artificii? comentă el cererea lui Paddington. Nu sunt sigur că pot vinde așa ceva unor ursuleți.

Paddington îi aruncă privirea lui cea mai grea.

— În întunecatul Peru, zise el, amintindu-și tot ce-i spusese domnul Gruber, avem focuri de artificii în fiecare zi de sărbătoare.

— Îndrăznesc să spun, zise bărbatul, că nu suntem nici pe departe în întunecatul Peru. În sfârșit, de care vrei? Petarde sau din celelalte?

— Aș vrea să încep cu ceva ce pot ține cu labele, zise Paddington.

Vânzătorul șovăi.

— Bine, zise el. Îți dau un pachet din cele mai bune artificii. Dar, dacă-ți pârlești mustățile, să nu vii la mine să te plângi și să-mi ceri banii înapoi!

Paddington făgădui că va fi deosebit de atent și se grăbi spre casa familiei Brown. La ultimul colț dădu nas în nas cu un băiat care împingea un landou. Băiatul întinse respectuos o șapcă în care erau câteva monezi.

— Un bănuț pentru Guy[1], domnule, zise el.

— Mulțumesc foarte mult, zise Paddington, luând un penny din șapcă. Foarte frumos din partea ta!

---

[1] *Guy*, cuvântul care înseamnă „băiat, tip, persoană", vine exact de la numele lui Guy Fawkes. Paddington confundă numele propriu cu substantivul comun și de aceea crede că bănuțul îi este oferit lui. (*N. tr.*)

— Hei! strigă băiatul, în timp ce Paddington se întorcea să plece. Hei! Tu trebuie să-mi dai mie un penny, nu să iei bani de la mine!

Paddington îl fulgeră cu privirea.

— Să-ți dau un penny? întrebă el, nevenindu-i să-și creadă urechilor. Pentru ce?

— Pentru Guy, mai încape vorbă? zise băiatul. Așa se spune – un bănuț pentru Guy.

Îi arătă landoul lui Paddington și ursulețul abia acum băgă de seamă că ducea ceva în el. Era un manechin în costum și cu mască. Arăta ca acela pe care-l văzuse mai devreme în vitrina chioșcului de ziare.

Paddington rămase atât de surprins, încât își deschise valiza, scoase un bănuț și îl puse în șapca băiatului înainte să-și dea seama ce face.

— Dacă nu vrei să dai bani pentru Guy, de ce nu-ți faci și tu unul, să câștigi la rândul tău? îl întrebă băiatul, dând să plece. Nu-ți trebuie decât un costum vechi și un snop de paie.

Paddington se îndreptă mai departe spre casă foarte gânditor. Rămase așa multă vreme și aproape că uită să mai ceară încă o porție la prânz.

— Tare-aș vrea să nu-l fi lovit iar vreo idee năstrușnică, zise doamna Brown, după ce Paddington se ridică de la masă și dispăru în grădină. Nu-i deloc în firea lui să fie nevoie să-l întrebi dacă mai vrea supliment, mai ales când e vorba de tocăniță. Îi plac la nebunie găluștile.

— Sigur i-a venit o idee, zise doamna Bird. Cunosc eu bine semnele!

— Sper că aerul rece o să-i facă bine, zise doamna Bird, uitându-se pe fereastră. Frumos din partea lui că s-a oferit să adune toate frunzele. Grădina e toată o harababură.

— E noiembrie, zise doamna Bird. Ziua lui Guy Fawkes!

— Ah! exclamă doamna Brown. *Vai de mine!*

În următoarea oră, Paddington își făcu de lucru de unul singur cu mătura și cu fărașul doamnei Bird. Familia Brown avea mulți copaci și ursulețul adună curând un morman de frunze de două ori mai înalt decât el, chiar în mijlocul parcelei cu varză. Se așeză apoi să-și tragă sufletul pe stratul de flori și simți că îl urmărea cineva.

Ridică privirea și-l văzu pe domnul Curry, vecinul familiei Brown, privindu-l atent peste gard. Domnul Curry nu se dădea deloc în vânt după urși și încerca mereu să-l surprindă pe Paddington făcând ceva ce nu avea voie ca să-l poată pârî. Tot cartierul știa că e rău și nesuferit, iar familia Brown încerca să aibă cât mai puțin de-a face cu el.

— Ce faci, ursule? mârâi vecinul către Paddington. Sper că nu te gândești să dai foc frunzelor ălora...

— O, nu, răspunse Paddington. Sunt pentru Guy Fawkes.

— Focuri de artificii! zise morocănos domnul Curry. Urâte lucruri! Fac gălăgie și sperie lumea.

Paddington, care cochetase cu ideea să încerce unul dintre artificiile lui, ascunse iute pachetul la spate.

— Nu pregătiți focuri de artificii, domnule Curry? întrebă ursul politicos.

— Focuri de artificii? îl privi vecinul cu multă aversiune. Eu? Nu-mi permit așa ceva, ursule. Sunt bani irosiți. În plus, să știi, dacă ajunge vreo scânteie la mine-n grădină, fac plângere la poliție.

Paddington se simți dintr-odată foarte bucuros că nu încercase nimic.

— Pe de altă parte, ursule, adăugă domnul Curry cu o sclipire șireată în ochi, uitându-se în jur ca să se asigure că nu-l mai auzea nimeni, altfel ar sta treaba dacă m-ar invita cineva la jocul lui de artificii.

Îi făcu semn lui Paddington să se apropie de gard și începu să-i șoptească ceva la ureche. Pe măsură ce-l asculta, ursulețului i se lungea fața și i se pleoșteau mustățile.

— Mi se pare de-a dreptul dezgustător, zise doamna Bird mai târziu, când auzi că domnul Curry se invitase singur la focul lor de artificii. Să sperie un ursuleț amenințându-l cu poliția numai pentru că-i prea zgârcit să-și cumpere singur artificii! Norocul lui că nu mi-a spus asta mie, că i-aș fi zis vreo două!

— Săracul Paddington, îl compătimi doamna Brown. Părea tare necăjit. Unde-i acum?

— Nu știu, zise doamna Bird. S-a dus afară să caute niște paie. Or fi pentru foc, cred eu... Când mă gândesc câte are pe cap ursulețul ăsta din cauza lui! reveni doamna Bird la subiectul legat de domnul Curry. Trebuie să alerge pe rupte de colo, colo numai pentru că vecinului nu-i place să-și facă singur treburile.

— Mereu profită de oameni, interveni doamna Brown. Și-a lăsat dimineață costumul cel vechi la noi pe verandă, ca să-l dăm noi la curățat.

— Chiar așa? se supără doamna Bird. Mai vedem *noi*!

Dădu fuga afară cât ai clipi.

— Pe verandă, ați spus? strigă doamna Bird.

— Exact, răspunse doamna Brown. L-a pus în colț.

— Nu mai este nimic aici, strigă doamna Bird din nou. L-o fi luat cineva.

— Foarte ciudat, se miră doamna Brown. N-am auzit pe nimeni bătând la ușă. Iar băiatul de la spălătorie n-a trecut încă. Curioasă treabă!

Doamna Bird se întoarse în bucătărie.

— N-are decât să se-nvețe minte, dacă i l-a luat cineva, zise ea. O să-i servească drept lecție!

În ciuda aparentei sale asprimi, doamna Bird avea un suflet bun, dar își ieșea rău din fire când cineva profita de cei din jur, mai ales de Paddington.

— Sper să apară costumul acela, zise doamna Brown. Încerc să țin minte și să-l întreb pe Paddington dacă l-a văzut, când s-o întoarce.

Dar Paddington zăbovi pe-afară multă vreme și când se întoarse într-un târziu, doamna Brown uitase toată povestea. Se întunecase deja, iar ursul intrase pe portița din grădină. Își împinse căruciorul pe potecă până în dreptul magaziei domnului Brown. Acolo se opinti și reuși să ridice din coș un obiect mare, pe care îl puse într-un colț, în spatele mașinii de tuns iarba. Avea și o cutie mică de carton pe care scria GI FAWKES și care zornăia când o scutura.

Paddington închise ușa magaziei, ascunse cu grijă cutia sub pălărie, pe fundul coșului, apoi se strecură din nou afară din grădină și apăru la ușa din față.

Era foarte încântat de sine. Fusese o seară de lucru rodnică – mult mai bună decât se așteptase – iar înainte de culcare zăbovi să-i scrie o scrisoare lungă lui Jonathan, în care îi povestea totul.

* * *

— Aoleu, Paddington! exclamă Jonathan câteva zile mai târziu, când se pregăteau de petrecere. Ce de artificii! N-am

mai văzut niciodată atât de multe, zise el încântat, aplecându-se deasupra cutiei de carton plină aproape ochi.

— Pe bune, Paddington, zise Judy plină de admirație. Multă lume ar crede că ai făcut o colectă sau așa ceva!

Paddington flutură vag prin aer o lăbuță și schimbă o privire complice cu Jonathan. Nu apucă să-i explice lui Judy nimic, pentru că în cameră intră domnul Brown. Era îmbrăcat în palton, încălțat cu cizme de cauciuc și ținea în mână o lumânare aprinsă.

— Bun, zise el. Suntem gata toți? Domnul Gruber așteaptă în hol și doamna Bird a scos deja scaunele pe verandă.

Domnul Brown părea la fel de nerăbdător ca și restul să înceapă jocurile de artificii și se uita plin de invidie spre cutia lui Paddington.

— Întrucât acesta este primul 5 noiembrie petrecut aici de Paddington, zise domnul Brown, propun să-l lăsăm pe el să aleagă primele artificii.

— Bravo! aplaudă domnul Gruber. Care ți-ar plăcea, domnule Brown?

Paddington se uită gânditor la cutie. Artificiile erau de toate formele și mărimile, nu-i venea ușor să se hotărască.

— Cred că o să-ncerc prima dată unul care trebuie ținut în mână, zise el. Unul care face steluțe.

— Artificiile de mână care fac steluțe sunt plicticoase, zise domnul Curry, care se așezase pe cel mai bun scaun și se servise deja cu mai multe sendvișuri cu marmeladă.

— Dacă asta vrea Paddington, asta trebuie să primească, zise doamna Bird, aruncându-i domnului Curry o privire de gheață.

Domnul Brown îi întinse lui Paddington lumânarea aprinsă, având grijă să nu cumva să-i picure ceară fierbinte pe blană, și izbucniră imediat aplauze când artificiul prinse viață și începu să arunce scântei. Ursulețul îl flutură de câteva ori deasupra capului, apoi, într-o nouă rundă de aplauze, îl întinse în față și îl plimbă ca și cum ar fi desenat literele P-A-D-I-N-G-T-U-N.

— Foarte de efect! exclamă domnul Gruber.

— Dar nu așa se scrie Paddington, mormăi domnul Curry cu gura plină de tartina cu marmeladă.

— Așa îl scriu eu! zise Paddington.

Îi aruncă domnului Curry una dintre privirile lui cele mai grele, dar era întuneric afară, așa că nu-i folosi la nimic.

— Ce-ați spune să aprindem focul? zise repede domnul Brown. Ca să ne putem vedea după aceea unii pe alții.

Se aplecă, aprinse un chibrit și frunzele uscate începură să trosnească.

— E mult mai bine așa, zise domnul Curry, frecându-și palmele. Mi se pare cam curent la voi pe verandă. Cred că o să aprind și eu câteva artificii, dacă tot n-au mai rămas sendvișuri, adăugă el, uitându-se întrebător la doamna Bird.

— N-au mai rămas, zise doamna Bird. Tocmai l-ai mâncat dumneata pe ultimul. Omul ăsta n-ar pic de obraz, continuă ea, după ce domnul Curry se îndepărtase și începuse să scotocească prin cutia lui Paddington. El n-a adus nici măcar o petardă!

— Ne strică toată petrecerea, zise doamna Brown. Toți am așteptat cu nerăbdare seara asta. Mă gândesc serios să...

Nu se mai auzi la ce se gândea doamna Brown, pentru că dinspre magazia din grădină răsună un strigăt.

— Strașnic, Paddington! exclamă Jonathan. De ce nu ne-ai spus până acum?

— Ce să ne spună? întrebă domnul Brown, cu atenția împărțită între un artificiu lung care tocmai zburase nu se știe unde și misteriosul obiect pe care-l trăgea Jonathan afară din magazie.

— E un Guy! strigă încântată Judy.

— Și încă unul super! se bucură zgomotos Jonathan. Arată aproape ca un om. Este al tău, Paddington?

— Păi... ezită Paddington. Da... și nu.

Părea mai degrabă îngrijorat. În tot entuziasmul care îl cuprinsese, uitase de manechinul cu ajutorul căruia adunase banii pentru artificii. Nu era sigur că ar fi vrut să știe și ceilalți de el, ca să nu aibă de răspuns la prea multe întrebări.

— Un Guy! zise domnul Curry. Atunci, să-l aruncăm în foc!

Se uită la manechin prin fum. În mod ciudat, i se părea cumva cunoscut, dar nu-și dădea seama de ce.

— Nu, nu, zise repede Paddington. Nu cred că ar trebui să faceți asta! Nu-i tocmai de pus pe foc.

— Aiurea, ursule! zise domnul Curry. Se vede că nu știi multe despre Noaptea lui Guy Fawkes. Lui Guy i se dă foc întotdeauna!

Îi împinse pe ceilalți într-o parte și aruncă manechinul în flăcări, ajutându-se cu grebla domnului Brown.

— Poftim! exclamă el și se trase înapoi, frecându-și mâinile de bucurie. Acum e mai bine. Asta numesc eu un foc adevărat!

Domnul Brown își scoase ochelarii, îi șterse, apoi se uită atent la foc. Nu recunoștea costumul de pe manechin și se bucura să vadă că nu era unul de-al lui. În același timp, într-un colț al minții parcă îl rodea ceva.

— Este... Mi se pare un model de Guy foarte elegant, remarcă el.

Domnul Curry tresări și făcu un pas înainte ca să se uite mai bine. Acum, când focul se întețise, se vedea mai ușor. Pantalonii ardeau vesel, dar haina abia începuse să scoată fum. Aproape că-i ieșiră ochii din cap și arătă spre flăcări cu degetul tremurând.

— Ăsta-i costumul meu! tună el. Costumul meu! Cel pe care trebuia să-l dați voi la curățat!

— Poftim? exclamă domnul Brown.

Toți își întoarseră ochii către Paddington. Ursulețul era la fel de surprins ca și ei. Auzea pentru prima dată de costumul domnului Curry.

— L-am găsit pe scară, zise el. M-am gândit că fusese lăsat acolo ca să fie dus la talcioc...

— La *talcioc*? strigă domnul Curry, aproape scos din minți. La *talcioc*! Costumul meu cel mai bun! O să... O să...

Domnul Curry scuipa când vorbea și era atât de furios, încât nu-și mai găsea cuvintele. Dar doamna Bird știa clar ce voia să-i spună.

— În primul rând, începu ea, nu era costumul dumitale cel mai bun. După știința mea, a fost trimis la curățătorie de cel puțin șase ori. În al doilea rând, sunt cât se poate de sigură că Paddington habar n-a avut că era costumul dumitale. Și, în orice caz, termină triumfător doamna Bird, cine a propus și a insistat să fie pus pe foc?

Domnul Brown se străduia din răsputeri să nu izbucnească în râs. Îl văzu imediat pe domnul Gruber privindu-l deasupra batistei și nu se mai putu abține.

— Dumneata ai propus, să știi, explodă el. Dumneata ai zis că trebuie pus pe foc, iar Paddington a încercat să te oprească!

Domnul Curry se uită plin de furie de la unul la altul, dar știa că pierduse. Mai aruncă o privire întregii adunări și păși în noapte. Peste un moment răsună în toată casa zgomotul ușii trântite de la intrare.

— Trebuie să recunosc, chicoti domnul Gruber, de când e printre noi tânărul domn Brown, nu mai avem niciun moment de plictiseală. Sper că acum putem continua focul de artificii, adăugă el, apoi se întinse după o cutie de carton pe care o lăsase sub scaun. În caz că rămânem fără, am mai adus eu câteva.

— Ce caraghios! zise domnul Brown, căutând ceva sub scaunul lui. Mai am și eu câteva!

Mai târziu, tuturor celor din cartier li se păru cel mai reușit foc de artificii din ultimii ani. Foarte mulți veniră și ei să-l admire, iar domnul Curry fu văzut el însuși trăgând cu ochiul de după perdele în câteva rânduri.

Când în cele din urmă Paddington ridică cu o lăbuță obosită ultimul artificiu cu steluțe și scrise cu el în aer S-F-Â-R-Ș-I-T, toată lumea se declară de acord că un asemenea foc de sărbătoare reușit nu se mai văzuse niciodată – și nici așa un Guy bine îmbrăcat.

Necazuri la numărul 32

În seara aceea, după ce focul se stinse, vremea deveni brusc și mai friguroasă. Când urcă la etaj să meargă la culcare, Paddington deschise fereastra câțiva centimetri și se uită bine peste tot, în caz că mai rămăseseră undeva artificii de admirat. Adulmecă aerul rece al nopții, închise geamul repede, se vârî în pat și își trase păturile peste urechi.

A doua zi se trezi mai devreme decât de obicei, tremurând de frig, și descoperi cu surpriză că vârfurile mustăților, care se dezveliseră peste noapte, deveniseră țepene. Ascultă o vreme să se asigure că pregătirile pentru micul dejun erau în curs, apoi își puse pe el scurta de stofă cu brandenburguri și porni spre baie.

Când ajunse acolo, Paddington făcu imediat câteva descoperiri interesante. Mai întâi, prosopul pe care îl lăsase îndoit pe suport cu o seară înainte era acum tare ca scândura și trosnea caraghios dacă încerca să-l îndrepte. Pe urmă, când deschise robinetul nu se întâmplă nimic. Paddington hotărî iute că în dimineața aceea nu-i era sortit să se spele și se grăbi să se întoarcă la el în cameră.

Dar și acolo avu parte de o surpriză. Trase perdeaua ca să se uite afară și descoperi că geamul era complet alb și înghețat, la fel ca și în baie. Paddington suflă de mai multe ori deasupra sticlei și o frecă zdravăn cu dosul labei. Reuși să facă un cerc transparent destul de mare cât să poată vedea prin el și mai că se prăbuși lat de uimire.

Dispăruse orice urmă a focului din seara trecută. Totul se acoperise cu un strat gros, alb. Și nu numai atât: din cer cădeau milioane de fulgi la fel de albi.

Ursulețul se năpusti în jos pe scări să le spună și celorlalți. Dădu năvală în sufragerie și găsi toată familia Brown stând la masa pregătită pentru micul dejun. Paddington își flutură labele prin aer, agitat, îndemnându-i pe ceilalți să se uite pe fereastră.

— Pentru numele lui Dumnezeu! exclamă domnul Brown privindu-l peste ziarul de dimineață. Ce se petrece aici?

— Uitați-vă! zise Paddington, arătându-le grădina. Totul s-a făcut alb!

Judy dădu capul pe spate și izbucni în râs.

— E-n regulă, Paddington, nu-i decât zăpadă, zise ea. A nins. Se întâmplă la fel în fiecare an.

— Zăpadă, repetă nedumerit Paddington. Ce înseamnă zăpadă?

— O mare bătaie de cap, răspunse îmbufnat domnul Brown.

În dimineața aceea, domnul Brown nu se afla în cea mai bună dispoziție. Nu se așteptase la o schimbare atât de rapidă a vremii și toate țevile de apă de la etaj înghețaseră bocnă. Ca să fie totul și mai rău, ceilalți dădeau vina pe el că uitase să ațâțe focul la boiler înainte să meargă la culcare.

— Zăpada? zise Judy. Păi, este... e un fel de ploaie înghețată, dar foarte moale.

— Nemaipomenită să faci bulgări din ea, exclamă Jonathan. Îți arătăm cum după ce mâncăm. Curățăm și aleile, în același timp.

Paddington se așeză la masă pentru micul dejun și începu să desfacă șervetul, fără să reușească să-și desprindă ochii de la priveliștea de dincolo de fereastră.

— Paddington! zise bănuitoare doamna Brown. Ai purtat scurta de stofă și când te-ai spălat de dimineață?

— Eu zic că nu s-a prea spălat, interveni doamna Bird în timp ce-i punea în față un castron cu fulgi de ovăz. Mai degrabă a lăsat-o pe mâine, dacă mă întrebați pe mine.

Dar Paddington era mult prea ocupat să se gândească la zăpadă, ca să mai asculte și ce spuneau ceilalți. Se întreba dacă n-ar putea grăbi micul dejun amestecând toată mâncarea în aceeași farfurie. Se întinse după ochiurile cu șuncă și după marmeladă, dar surprinse privirea doamnei Bird și se prefăcu imediat că dirija o muzică auzită numai de el.

— Dacă te duci afară după micul dejun, Paddington, zise doamna Brown, cred că ar fi frumos din partea ta să cureți mai întâi aleile domnului Curry și abia apoi pe ale noastre. Știm cu toții că povestea cu costumul de aseară n-a fost din vina ta, dar o să-i arăți că ești plin de bune intenții.

— Excelentă idee! exclamă Jonathan. Îți dăm și noi o mână de ajutor. Pe urmă, cu tot ce-am adunat, putem face după-amiază un om de zăpadă. Ce zici, Paddington?

Paddington părea mai degrabă îndoit. Când încerca să facă o faptă bună pentru domnul Curry, ceva părea de fiecare dată să meargă prost.

— Dar fără bătăi cu zăpadă, îi avertiză doamna Bird. Domnul Curry doarme întotdeauna cu fereastra deschisă, chiar și în mijlocul iernii. Dacă-l treziți, n-o să-i placă deloc.

Paddington, Jonathan și Judy se puseră de acord să se miște cât de în liniște puteau. Imediat după micul dejun, se îmbrăcară cu haine groase și ieșiră să examineze zăpada. Paddington rămase foarte impresionat. Stratul alb era mult mai adânc decât se așteptase, dar nu la fel de rece cum crezuse el, în afară de momentele când stătea prea mult într-un loc.

În câteva minute, înarmați cu lopeți și perii, se apucau cu toții să curețe aleile domnului Curry. Jonathan și Judy începură cu pavajul din fața casei. Paddington își adusese găletușa și lopățica de la mare și se apucă de aleea din grădina din spate a domnului Curry, care nu era chiar atât de lată.

Umplea găletușa cu zăpadă și pe urmă o răsturna printr-o gaură din gard în grădina familiei Brown, acolo unde voiau să facă mai târziu omul de nea. Munca era grea. Zăpada era adâncă, trecea de marginea scurtei lui de stofă, iar imediat ce curăța un loc, cădea alta, acoperind partea terminată.

După ce lucră cam o oră fără să se oprească, Paddington hotărî să-și tragă puțin sufletul. Dar abia se așezase pe găleată, când simți ceva lovindu-l în ceafă și aproape răsturnându-i pălăria de pe cap.

— Te-am nimerit! strigă încântat Jonathan. Hai, Padding-
ton, fă și tu niște bulgări, ca să ne putem bate!

Paddington sări de pe găleată și se ascunse după magazia
domnului Curry. Acolo se asigură mai întâi că doamna Bird nu
era prin preajmă, apoi adună zăpadă și făcu din ea un bulgăre
tare. Îl ținu ferm în laba dreaptă, închise ochii și ținti cu grijă.

— Ha! strigă Jonathan, în timp ce Paddington deschidea
ochii. M-ai ratat cu un kilometru! Mai bine te-ai antrena!

Paddington rămase după magazia domnului Curry, se scăr-
pină în cap și își examină laba. Știa că bulgărele de zăpadă
ajunsese undeva, dar nu avea nici cea mai mică idee unde.
Se gândi o vreme, apoi se hotărî să încerce din nou. Dacă se
strecura neauzit până lângă casă, îl putea prinde nepregătit pe
Jonathan și își lua revanșa.

Când trecu în vârful picioarelor pe lângă ușa din spate a domnului Curry, ținând strâns un bulgăre de zăpadă, remarcă imediat că era deschisă. Vântul spulbera ninsoarea și o purta până în bucătărie, pe podea se adunase deja o grămăjoară. Paddington șovăi o clipă, apoi trase ușa și o închise. Se auzi un clic, iar ursulețul o încercă atent cu laba să vadă dacă mai risca să se deschidă. Era sigur că domnul Curry nu dorea ca bucătăria să i se umple de zăpadă și se simțea încântat că reușise să facă încă o faptă bună, pe lângă curățarea aleii.

Dar, spre surpriza lui, când trecu de colțul casei și ajunse în față, Paddington descoperi că domnul Curry era deja afară. Își luase doar un halat peste pijama și părea înghețat și furios. Întrerupse discuția cu Jonathan și Judy și se uită fix spre Paddington.

— Aha, ești aici, ursule! exclamă el. Tu ai aruncat cu bulgări de zăpadă?

— Bulgări de zăpadă? repetă Paddington, ascunzând repede laba la spate. Ați spus bulgări de zăpadă, domnule Curry?

— Da. Exact! Bulgări de zăpadă, zise din nou domnul Curry. Unul mare tocmai a intrat acum o clipă pe fereastra dormitorului meu și s-a oprit exact în mijlocul patului. S-a topit imediat pe sticla mea cu apă fierbinte. Dacă aflu cumva că ai făcut-o intenționat, ursule...

— O, nu, domnule Curry, izbucni sincer Paddington. N-aș face una ca asta *intenționat*. Nici nu cred că aș putea. Mi se pare dificil să arunc bulgări cu laba, mai ales unii mari ca ăsta.

— Ca ăsta, care? întrebă bănuitor domnul Curry.

— Ca acela care spuneți că a aterizat la dumneavoastră în pat, răspunse Paddington mai degrabă nedumerit.

Începuse să-și dorească să plece mai repede domnul Curry. Bulgărele pe care îl ascundea îi îngheța laba.

— Aha, zise domnul Curry. Mă rog, n-am de gând să stau aici în zăpadă, la palavre cu un urs. Am venit de la etaj ca să vă spun să plecați. Dar trebuie să recunosc, adăugă el, uitându-se aprobator la pavajul curat, că mi-ați făcut o surpriză plăcută. De fapt, dacă faceți treabă la fel de bună și în continuare, s-ar putea să vă dau zece penny, zise domnul Curry întorcându-se să intre în casă. În total! adăugă el repede, ca nu cumva să fie înțeles greșit.

— Zece penny, exclamă Jonathan revoltat. O monedă coclită de zece penny...

— Lasă, zise Judy, măcar am făcut și azi o faptă bună. Ar trebui să conteze, chiar și pentru domnul Curry.

Paddington părea destul de îndoit.

— Nu cred că va conta *foarte* mult, zise el, trăgând cu urechea. De fapt, cred că efectul ei s-a terminat deja.

În timp ce el vorbea, îl putură auzi pe domnul Curry strigând și bătând furios în ceva.

— Ce se întâmplă? întrebă Judy. Parcă domnul Curry ar bate la propria lui ușă din spate...

— Am crezut că-i fac un serviciu, zise Paddington foarte îngrijorat, așa că am închis ușa. Cred că l-am încuiat pe dinafară.

— Doamne, Paddington, mormăi Judy, aș zice că ești un ursuleț foarte ghinionist.

— Cine a închis ușa? urla domnul Curry. Cine m-a încuiat pe dinafara propriei mele case? Ursule! strigă el amenințător. Unde ești, ursule?

Domnul Curry se uită de-a lungul drumului, dar nu văzu nici țipenie de suflet. Dacă ar fi fost mai puțin nervos, poate că ar fi observat cele trei rânduri de urme pe care le lăsaseră Paddington, Jonathan și Judy atunci când o șterseseră iute.

După o vreme, cele trei rânduri de urme se despărțeau. Ale lui Jonathan și Judy dispăreau în casa familiei Brown. Paddington își urmase drumul și se îndreptase spre piață.

Îl văzuse destul pe domnul Curry, pentru o singură zi. În plus, trecuse de zece și jumătate, iar ursulețul îi făgăduise domnului Gruber să se întâlnească cu el la ora unsprezece, pentru ceașca matinală de cacao.

* * *

— Încep să cred că domnul Curry a cam luat-o razna, zise ceva mai târziu doamna Brown. Azi-dimineață stătea în fața casei doar în halat și în pijama, în toiul ninsorii. Pe urmă a început să se învârtă în cerc, amenințând cu pumnul.

— Hmm, răspunse doamna Bird. L-am văzut pe Paddington bătându-se cu bulgări de zăpadă în spatele lui cu foarte puțin timp înainte să se întâmple asta.

— Aoleu! zise doamna Brown.

Se uită afară pe fereastră. Cerul se înseninase în sfârșit, iar grădina, cu crengile copacilor lăsate sub greutatea zăpezii, arăta ca o felicitare de Crăciun.

— Mi se pare totul foarte liniștit, zise ea apoi. Atât de liniștit, încât parcă mă aștept să se întâmple ceva.

Doamna Bird îi urmări privirea.

— Au făcut un om de zăpadă minunat. N-am mai văzut niciodată unul la fel de reușit. Este destul de mic, dar parcă-i viu...

— Nu cumva i-au pus pe cap vechea pălărie a lui Paddington? întrebă doamna Brown.

Auzi ușa și se întoarse. În cameră intrară Jonathan și Judy.

— Tocmai spuneam, continuă doamna Brown, că ați făcut un om de zăpadă foarte reușit.

— Nu e un om de zăpadă, răspunse misterios Jonathan. Este un *urs* de zăpadă. Am pregătit o surpriză pentru tata, tocmai se apropie pe drum.

— S-ar părea că n-o să aibă o singură surpriză, interveni doamna Bird. Văd că-l așteaptă la poartă și domnul Curry.

— Fir-ar, mormăi Jonathan, asta mai lipsea!

— Te poți aștepta oricând să strice lucrurile domnul Curry, zise Judy. Sper să nu-l țină prea mult de vorbă pe tata.

— De ce, dragă? întrebă doamna Brown. Are vreo importanță?

— Dacă are vreo importanță! strigă Jonathan, dând fuga la fereastră. Eu aș zice că are!

Doamna Brown nu mai continuă discuția. Nu se îndoia că va afla totul pe parcursul desfășurării faptelor, indiferent care ar fi fost acelea...

Domnului Brown îi luă multă vreme să scape de domnul Curry și să-și tragă mașina în garaj. Intră în casă arătând sătul până peste cap.

— Domnul Curry ăsta iar a început cu poveștile despre Paddington. Dacă eram eu acasă azi-dimineață, s-ar fi ales cu mai mult decât un bulgăre de zăpadă în pat. Dar unde-i Paddington? întrebă domnul Brown, uitându-se în jur.

Lui Paddington îi plăcea de obicei să-l ajute să intre cu mașina în garaj și i se părea neobișnuit acum că nu fusese de față ca să facă semne cu lăbuțele.

— Nu l-am mai văzut de-un secol, zise doamna Brown. Voi știți unde este? se uită ea la Jonathan și la Judy.

— Nu ți-a sărit în față, tată? întrebă Jonathan.

— Să-mi sară în față? se miră domnul Brown. Nu l-am văzut. De ce, așa ar fi trebuit să facă?

— Dar ai văzut ursul de zăpadă, nu? întrebă Judy. Cel de lângă intrarea în garaj.

— Ursul de zăpadă? zise domnul Brown. Cerule, să nu-mi spuneți că... Acela era Paddington?

— Unde-i ursulețul acum? întrebă doamna Bird. Vreți să spuneți că stă de atâta vreme acolo, afară, acoperit de zăpadă?

— Nu așa trebuia să se întâmple, zise Jonathan. Câtuși de puțin!

— Cred că a auzit vocea domnului Curry și s-a speriat, zise Judy.

— Aduceți-l imediat înăuntru! zise doamna Bird. Cred că e mort de frig. Mă gândesc să-l trimit la culcare fără să-i mai dau să mănânce.

Doamna Bird nu era furioasă pe Paddington, pur și simplu își făcea griji să nu fi pățit ceva. Când intră pe ușă, comportamentul i se schimbă imediat. Luă o labă a ursulețului între palmele ei, apoi îi pipăi botul.

— Doamne sfinte! exclamă doamna Brown. Parcă-i un ghețar.

Paddington tremura.

— Nu cred că-mi place prea tare să fiu urs de zăpadă, zise el cu voce pierită.

— Cred și eu! răspunse doamna Bird, apoi se întoarse spre ceilalți. Ursul ăsta se bagă imediat în pat, cu o sticlă de apă fierbinte lângă el și cu o cană cu supă. Iar pe urmă chemăm doctorul!

Îl așeză pe Paddington lângă foc și fugi la etaj să aducă termometrul. Ursulețul se lăsă pe spate în fotoliul domnului Brown, cu ochii închiși. Își dădea seama că se simțea foarte ciudat. Nici măcar nu-și amintea dacă se mai simțise la fel de ciudat vreodată în viața lui. În clipa asta i se părea că e rece ca zăpada de-afară, iar în clipa următoare se simțea încins.

Nu-și dădea seama de câtă vreme zăcea acolo. Și-o amintea vag pe doamna Bird vârându-i sub limbă un obiect lung și rece, pe care tot ea îl scosese, după puțin timp. Pe urmă nu-și mai aducea aminte ce se petrecuse, în afară de faptul că alergau toți să-i facă supă, să-i aducă sticle cu apă fierbinte și să-i pregătească bine camera.

După câteva minute, agitația se terminase, și întreaga familie îl conduse la etaj, ca să se asigure că se băga în pat cum se cuvine. Paddington le mulțumi foarte mult tuturor, flutură spre ei o lăbuță sleită, apoi închise ochii.

— Cred că se simte *teribil* de rău, zise doamna Bird. Nici nu s-a atins de supă.

— Of! zise nefericit Jonathan, în timp ce cobora scările în spatele lui Judy. A fost mai ales ideea mea. Dacă pățește ceva, n-o să mi-o pot ierta cât trăiesc.

— A fost și ideea mea, încercă Judy să-l liniștească. Ne-am gândit împreună la asta. Cred că a venit doctorul, adăugă ea, auzind soneria de la intrare. O să știm curând cum stă treaba.

Doctorul MacAndrew zăbovi mult la Paddington, iar când coborî scările arăta foarte serios.

— Cum se simte, doctore? întrebă îngrijorată doamna Brown. Să nu-mi spuneți că s-a îmbolnăvit grav...

— Ba, cam da, zise doctorul MacAndrew. V-ați dat seama și 'mneavoastră. Tânărul urs chiar că-i bolnav! S-a jucat afară în zăpadă fără să fie pregătit, nu mă-ndoiesc. I-am dat niște hapuri să treacă noaptea asta și mă-ntorc aicișa mâine dis-de-dimineață.

— Dar o să se facă bine, nu-i așa, domnule doctor MacAndrew? întrebă Judy, cu glasul înecat de lacrimi.

Doctorul MacAndrew clătină grav din cap.

— N-aș ști ce să spun, zise el. Chiar n-aș ști!

După aceste vorbe, le ură noapte bună tuturor și plecă.

Membrii familiei Brown urcară în dormitoare plini de tristețe în acea seară. Pe când restul lumii se pregătea de culcare,

doamna Bird își mută tiptil lucrurile în camera lui Padding-
ton, ca să-l poată veghea peste noapte.

Nu era singura care n-avea somn. Ușa lui Paddington se
deschise încetișor de mai multe ori, iar domnul și doamna
Brown, Jonathan și Judy verificară pe rând ce mai făcea ursule-
țul. Cumva li se părea în continuare imposibil să i se întâmple
ceva rău, dar de fiecare dată când o priveau pe doamna Bird,
ea clătina din cap și nu-și ridica ochii de la lucrul de mână,
ca să nu-i vadă nimeni fața.

A doua zi, vestea că Paddington era bolnav se răspândi iute
în tot cartierul. Pe la prânz, lumea începu deja să se perinde pe
la casa familiei Brown ca să afle cum se mai simțea. Domnul
Gruber veni cel dintâi.

— M-am întrebat ce s-o fi întâmplat cu tânărul domn Brown chiar de când n-a venit la mine dimineață la ora unsprezece, zise el, părând foarte necăjit de ce aflase. I-am păstrat caldă ceașca de cacao mai mult de o oră.

Domnul Gruber plecă, dar se întoarse curând după aceea cu un ciorchine de struguri și cu un coș mare plin cu fructe și flori de la ceilalți negustori din piața Portobello.

— Mă tem că nu se găsește mare lucru în perioada asta a anului, se scuză el, dar am făcut tot ce-am putut. Sunt sigur că se va face bine, doamnă Brown, adăugă el din ușă. Cu atâția oameni în jur care îi *doresc* cu adevărat însănătoșirea, sunt sigur că așa se va întâmpla.

Domnul Gruber o salută pe doamna Brown ridicându-și pălăria, apoi porni încet în direcția parcului. Nu mai avea niciun chef să se întoarcă în ziua aceea la magazinul lui.

După-amiază bătu la ușă până și domnul Curry. Adusese un măr și un borcan cu fructe în gelatină, despre care insistă că era foarte bun pentru cei suferinzi. Doamna Bird luă toate cadourile, le duse în camera lui Paddington și le aranjă cu grijă lângă pat, în caz că ursulețul s-ar fi trezit și ar fi vrut să mănânce ceva.

Doctorul MacAndrew veni de mai multe ori în următoarele două zile, dar, în ciuda eforturilor lui, nu apăru nicio schimbare.

— Trebuie să avem răbdare, doar atât spunea.

După trei zile, la ora micului dejun, ușa sufrageriei se deschise violent și doamna Bird dădu fuga înăuntru.

— Veniți repede! strigă ea. Paddington!

Toată lumea de la masă tresări și se uită la ea.

— E... Nu cumva se simte mai rău... zise doamna Brown, dând glas gândurilor tuturor.

— Nu, ferească sfântul! zise doamna Bird, făcându-și vânt cu ziarul de dimineață. Nu asta vreau să vă spun. Dimpotrivă! Se simte mult mai bine! S-a ridicat în vârful patului și mi-a cerut un sendviș cu marmeladă de portocale!

— Un sendviș cu marmeladă? Of, slavă Domnului! exclamă doamna Brown, încă fără să știe sigur dacă îi venea să râdă

sau să plângă. N-am crezut niciodată că voi fi atât de fericită când aud cuvântul „marmeladă"!

Chiar în timp ce vorbeau se auzi sunând tare clopoțelul pe care-l instalase domnul Brown lângă patul lui Paddington, în caz că se ivea o urgenţă.

— Vai de mine! exclamă doamna Bird. Sper că nu m-am grăbit când am vorbit...

Ieşi repede din sufragerie. O urmară cu toţii în sus pe scări, spre camera ursuleţului. Când intrară, îl găsiră pe Paddington întins pe spate, cu labele în aer, uitându-se fix în tavan.

— Paddington! strigă doamna Brown, abia îndrăznind să respire. Paddington, te simţi bine?

Toată lumea așteptă îngrijorată răspunsul.

— Cred că mi-a revenit boala, zise Paddington cu voce slabă. Probabil că mi-ar trebui *două* sendvișuri cu marmeladă, ca să fiu sigur...

Toți membrii familiei Brown, împreună cu doamna Bird, oftară ușurați și schimbară priviri între ei. Chiar dacă Paddington nu se însănătoșise de tot, se vedea clar că era pe calea cea bună.

Paddington și cumpărăturile de Crăciun

— Poate că n-ar trebui să spun asta, dar tare o să mă mai bucur când va trece Crăciunul, zise doamna Bird.

Săptămânile dinaintea Crăciunului erau cele mai obositoare pentru ea. Avea de făcut nenumărate plăcinte cu fructe, prăjituri și budinci, așa că-și petrecea în bucătărie aproape tot timpul. În plus, anul ăsta Paddington era și el tot timpul acasă, încă în convalescență, iar asta nu-i ușura treaba deloc. Pe ursuleț îl interesau mult de tot plăcintele cu fructe și nu deschidea o singură dată ușa cuptorului să vadă dacă sunt gata, ci de zece ori.

Perioada convalescenței lui Paddington se dovedise grea pentru familia Brown. Situația fusese destul de rea cât timp stătuse în pat, pentru că ursulețul lăsa sâmburi de struguri peste tot prin așternuturi, dar devenise și mai rea de când se dăduse jos. Paddington nu se pricepea prea bine să stea fără să facă nimic, așa că membrii familiei își petreceau tot timpul străduindu-se să-l distreze și să-l ferească de belele. Încercase chiar să se apuce de împletit – nimeni nu știa ce anume – dar încâlcise lâna peste măsură și o făcuse lipicioasă de la marmeladă, așa că fusese nevoit să se lase păgubaș. Până și gunoierul spuse lucruri urâte atunci când fusese nevoit să adune împletitura ursulețului.

— Mi se pare foarte liniștit în momentul ăsta, zise doamna Brown. Cred că e preocupat de lista lui de cumpărături pentru Crăciun.

— Nu cred că vă gândiți *cu adevărat* să mergeți după-amiază cu el la cumpărături, zise doamna Bird. Doar știți ce s-a întâmplat data trecută...[1]

Doamna Brown oftă. Sigur că își amintea perfect ce se petrecuse când mersese altădată cu Paddington la cumpărături.

— N-am cum să nu-l iau, zise ea. I-am promis, iar el abia așteaptă.

---

[1] Episodul este relatat în volumul *Un urs pe nume Paddington*. (*N. tr.*)

Paddington adora cumpărăturile. Îi plăcea să se uite în vitrine, iar de când citise în ziar o sumedenie de lucruri despre felul cum se împodobea orașul de Crăciun, aproape că nu se mai gândea la nimic altceva. Pe lângă asta, mai avea și un motiv special. Fără să spună nimănui, Paddington făcuse din greu economii ca să le cumpere cadouri membrilor familiei Brown și celorlalți prieteni.

Cumpărase deja o ramă pentru fotografia făcută de el și i-o trimisese în Peru mătușii sale Lucy, împreună cu un borcan de miere. Cadourile pentru cei din străinătate trebuiau expediate mai repede.

Ascunsese în valiză mai multe liste pe care scrisese SEACRET și ascultase cu urechile ciulite nenumărate discuții, în speranța că va afla ce-și dorea fiecare.

— Oricum, continuă doamna Brown, mă bucur foarte mult că-l avem lângă noi, iar în ultima vreme a fost extrem de cuminte. Cred că merită o recompensă. Și nu-l mai duc la Barkridges. De data asta mergem la Crumbold & Ferns.

Doamna Bird puse jos tava de copt.

— Sunteți sigură că-i potrivit să-l duceți acolo? exclamă ea. Știți cum este locul acela...

Crumbold & Ferns era un magazin vechi și cu mare tradiție, unde lumea vorbea în șoaptă și toți vânzătorii purtau frac. Numai lumea cea mai bună făcea cumpărături la Crumbold & Ferns.

— E Crăciunul, zise nepăsătoare doamna Brown. Vreau să-i fac o bucurie adevărată.

După masa de prânz, când Paddington se pregătea să plece împreună cu doamna Brown, până și doamna Bird se simți datoare să declare că ursulețul arăta suficient de elegant ca să poată merge oriunde. Scurta de stofă cu brandenburguri, abia întoarsă de la curățătorie, nu avea nicio pată, iar pălăria lui veche – pe care Paddington o prefera întotdeauna când mergea la cumpărături – arăta și ea neobișnuit de proaspătă. Însă după ce ursulețul o salută din colțul străzii făcându-i cu mâna, doamna Bird nu-și putu înăbuși bucuria că rămăsese acasă.

Paddington se bucură din plin de drumul până la Crumbold & Ferns. Luaseră un autobuz, iar el reușise să prindă un loc pe scaun, chiar în față. Putea vedea șoferul printr-o gaură din perdeaua care acoperea geamul din spatele acestuia. Paddington bătu de câteva ori în sticlă și îi făcu semne prietenoase cu lăbuța, dar omul din spatele volanului avea prea multe griji cu traficul ca să se poată uita la el. De fapt, mergea de multă vreme fără să se oprească deloc.

Taxatorul se supără rău când văzu ce făcea Paddington.

— Hei! strigă el. Nu mai bate! Urșii ca tine strică bunul renume al autobuzelor! Am trecut deja pe lângă trei cozi de călători fără să oprim.

Din fericire, omul era de treabă şi, după ce Paddington îşi ceru scuze, îi explică ce semnale anume se foloseau pentru ca autobuzul să oprească sau să meargă mai departe şi îi dădu cadou cotorul unui teanc de bilete. După ce adună banii de la toată lumea, taxatorul se întoarse şi îi arătă lui Paddington câteva clădiri de mare interes pe lângă care treceau. Îi mai dărui şi un drops multicolor găsit în săculeţul cu monede. Ursuleţului îi plăcea mult să vadă lucruri noi şi îi păru rău când drumul lor se termină şi trebui să-şi ia rămas-bun de la taxator.

Mai avură un mic necaz când ajunseră la Crumbold & Ferns. Paddington se încurcă în uşa rotativă. Nu era vina lui. El încerca să intre în magazin mergând în spatele doamnei Brown, dar exact atunci din direcţia cealaltă apăru un domn distins cu barbă. Bărbatul se grăbea tare; împinse cu putere şi uşa începu să se învârtă repede, luându-l pe Paddington cu ea. Ursuleţul se învârti de mai multe ori şi, spre marea lui uimire, se trezi înapoi pe trotuar.

Îl zări cu coada ochiului pe bărbatul cu barbă făcându-i cu mâna de pe bancheta din spate a unei maşini mari care se îndepărta. I se păru chiar că striga ceva, dar Paddington nu reuşi să înţeleagă nimic, pentru că tocmai atunci călcă pe un obiect ascuţit şi căzu din nou pe spate.

Rămase aşezat în mijlocul trotuarului şi îşi examină laba, foarte surprins să găsească înfipt în ea un ac de cravată.

Paddington știa că era un ac de cravată, pentru că domnul Brown avea unul aproape la fel, numai că al lui era unul obișnuit, în timp ce ăsta de-acum avea fixat în mijloc ceva mare și strălucitor. Ca să fie sigur că nu-l pierde, ursulețul îl înfipse în reverul hainei lui, iar apoi își dădu seama brusc că vorbea cineva cu el.

— Vă simțiți bine, domnule?

Era portarul magazinului, un bărbat cu multă prestanță, îmbrăcat într-o uniformă elegantă, plină de medalii.

— Cred că da, mulțumesc, zise Paddington, ridicându-se în picioare și scuturându-se de praf. Dar mi-am pierdut dropsul pe undeva.

— Dropsul? zise bărbatul. Vai de mine!

Portarul nu dădu niciun semn că ar fi fost surprins. Portarii de la Crumbold & Ferns se dovedeau întotdeauna foarte bine instruiți. Adevărul era, însă, că apariția lui Paddington îl uimea peste măsură. Când remarcă acul de cravată cu diamantul enorm din mijloc, își dădu seama că avea de-a face cu cineva foarte important. „Probabil că e un urs din înalta societate", își spuse el în gând, dar pe urmă zări pălăria cea veche a lui Paddington și parcă nu mai era la fel de sigur. „Sau poate că e un urs căruia îi place să vâneze și să pescuiască la conac și a venit o zi la oraș", se răzgândi el. „Ori un urs din înalta societate care a trăit cândva zile mai bune."

Așa că portarul ținu trecătorii pe loc cu un gest hotărât și căutară amândoi pe jos dropsul pierdut. Îl conduse apoi pe Paddington prin ușa rotativă până la doamna Brown, care îl aștepta îngrijorată în magazin, încercând din răsputeri să arate ca și cum i se întâmpla zilnic la Crumbold & Ferns să ajute un tânăr urs să-și caute dropsul pierdut.

Paddington răspunse la salutul portarului fluturând din lăbuță, apoi se uită în jur. Interiorul magazinului era și mai impresionant. Oriîncotro mergeau, bărbați înalți îmbrăcați în frac se înclinau în fața lor și le urau o după-amiază plăcută. Până când ajunseră în fața raionului de menaj, lăbuța ursulețului obosise deja de atâta fluturat.

Cum amândoi aveau de făcut cumpărături secrete, doamna Brown îl lăsă pe Paddington cu vânzătorul și stabiliră să se întâlnească peste un sfert de oră la intrarea în magazin. Bărbatul o asigură că ursulețul va fi cât se poate de în siguranță.

— Chiar dacă nu-mi amintesc de niciun alt ursuleț, să știți că avem printre clienți numeroși domni străini foarte distinși, insistă el, atunci când doamna Brown îi spuse că Paddington provenea din întunecatul Peru. Mulți dintre ei își fac *toate* cumpărăturile de Crăciun la noi.

Doamna Brown plecă, iar vânzătorul se întoarse și se uită în jos spre Paddington, scuturându-și cu mâna o scamă imaginară de pe frac. În taină, ursulețul se simțea destul de impresionat de Crumbold & Ferns și nu voia s-o supere pe doamna

Brown făcând ceva greșit, așa că își bătu și el haina cu laba. Vânzătorul privi uluit cum un norișor de praf se ridica încet în aer și apoi se așeza pe tejgheaua lui elegantă și imaculată.

— Trebuie să fie de pe trotuar, zise Paddington, văzând la ce se uitase bărbatul. Am avut un accident cu ușa rotativă, se simți el dator să explice.

Bărbatul tuși.

— Vai de mine... Ce păcat, îmi pare foarte rău, zise el, zâmbindu-i fără chef ursulețului, dar hotărât să facă abstracție de proaspătul incident. Cu ce vă pot fi de folos, domnule? întrebă el plin de entuziasm.

Ursulețul se întoarse și se uită cu grijă dacă doamna Brown mai era prin preajmă.

— Vreau o frânghie de rufe, anunță el.

— O *ce*? exclamă vânzătorul.

Paddington se grăbi să împingă în falca cealaltă dropsul pe care-l băgase în gură.

— O sfoară de rufe, repetă el, cu voce scăzută. Pentru doamna Bird. Cea veche s-a rupt alaltăieri.

Vânzătorul înghiți în sec. Îi era imposibil să înțeleagă ce spunea ursul acela extrem de tânăr. Dar un angajat de la Crumbold & Ferns nu se apleca niciodată.

— Credeți că v-ar deranja să stați pe tejghea? întrebă el.

Paddington oftă. Uneori se dovedea foarte greu să explici anumite lucruri cuiva. Se cățără pe tejghea, își descuie valiza și scoase o reclamă pe care o decupase din ziarul domnului Brown cu câteva zile înainte.

— Aha! se lumină la față vânzătorul. Vă referiți la una dintre acele frânghii de rufe extensibile, domnule. Excelentă alegere, dacă-mi permiteți, adăugă el, întinzându-se spre un raft și luând o cutiuță verde. Sunteți un tânăr urs plin de gust. V-o recomand cu căldură!

Bărbatul trase afară un capăt de sfoară printr-o gaură din marginea cutiei și i-l întinse lui Paddington.

— Acest model de frânghie de rufe extensibilă este folosit de unele dintre cele mai bune familii din țară.

Paddington păru corespunzător de impresionat și se dădu jos de pe tejghea, ținând capătul de sfoară într-o labă.

— Să știți, continuă bărbatul, aplecându-se pe deasupra tejghelei, că se folosește foarte simplu. Frânghia de rufe se află toată în această cutie. În timp ce vă îndepărtați cu capătul, se desfășoară de pe un mosor. Când ați terminat treaba, pur și simplu învârtiți de această toartă...

O umbră de nedumerire apăru în vocea bărbatului.

— Învârtiți de această toartă... repetă el, încercând din nou.

Momentul era foarte stânjenitor pentru vânzător. În loc ca frânghia să intre la loc în cutie atunci când învârtea, așa cum ar fi trebuit, ea se desfășura din ce în ce mai tare.

— Îmi pare extrem de rău, domnule, începu bărbatul, ridicând privirea de pe tejghea. Pare să se fi defectat ceva...

Vocea i se înmuie și în ochii lui apăru o expresie îngrijorată, căci Paddington nu se mai vedea nicăieri.

— Nu te supăra, strigă el spre un alt vânzător, aflat la celălalt capăt al tejghelei lungi, n-ai văzut trecând un tânăr domn urs care trăgea de o frânghie pentru rufe?

— A luat-o într-acolo, îi răspunse scurt celălalt bărbat, arătând spre raionul de porțelanuri. Cred că s-a pierdut în aglomerație.

— Vai de mine! exclamă vânzătorul care se ocupase de Paddington, înșfăcând cutia verde și încercând să-și croiască loc prin mulțimea de clienți, pe urmele frânghiei de rufe. Vai de mine! Vai de mine!

Dar nu numai vânzătorul își făcea griji. La celălalt capăt al frânghiei, Paddington avea deja probleme. Magazinul Crumbold & Ferns era plin de oameni care își făceau cumpărăturile pentru Crăciun și niciunul nu părea să aibă timp să bage în seamă un ursuleț. De mai multe ori fusese nevoit să se ascundă sub o masă, ca să nu fie strivit de mulțime.

Frânghia de rufe se dovedea de calitate și Paddington era sigur că doamnei Bird avea să-i placă. Dar nu se putea abține să nu se gândească dacă n-ar fi fost nimerită o altă alegere. Sfoara asta părea să nu se mai sfârșească și se încolăcea mereu în jurul picioarelor oamenilor.

Paddington continuă să meargă, ocolind o masă plină cu căni și farfurii. Trecu pe lângă un stâlp, pe sub altă masă, iar

frânghia nu încetă să se desfășoare în urma lui. Înghesuiala devenea tot mai mare, iar Paddington trebuia să se împingă zdravăn ca să poată înainta. O dată sau de două ori era să-și piardă pălăria.

Când își pierduse deja speranța că se va mai putea întoarce la departamentul de menaj, îl zări pe vânzător. Spre uimirea lui Paddington, bărbatul ședea pe podea și era foarte roșu la față. Avea părul ciufulit și părea să se lupte cu piciorul unei mese.

— Aha, iată-te! bolborosi el când îl văzu pe Paddington. Bănuiesc că-ți dai seama, ursulețule, că te-am urmărit prin tot raionul de porțelanuri. Ai legat totul cu multe noduri!

— Vai de mine! zise Paddington uitându-se la frânghie. Am făcut *eu* asta? Mă tem că m-am rătăcit. Urșii nu se descurcă

prea bine în aglomerație, să știți. Cred că am trecut pe sub aceeași masă de două ori.

— Ce-ai făcut cu capătul frânghiei? strigă vânzătorul.

Sub masă era cald și în jur mare gălăgie, iar oamenii îl tot loveau cu piciorul. În plus, situația i se părea inadmisibil de nedemnă.

— E aici, zise Paddington, căutând de zor capătul de sfoară. Cel puțin... era acum o clipă...

— Unde? strigă vânzătorul.

Nu știa dacă gălăgia o fi fost de vină, dar tot nu înțelegea nimic din ce mormăia ursul. Orice vorbă pe care o rostea părea însoțită de un ronțăit și de un miros puternic de mentă.

— Vorbește! strigă bărbatul, punându-și mâna pâlnie la ureche. Nu aud nimic din ce spui.

Paddington se uită stânjenit la vânzător. Părea furios. Ursulețul începu să-și dorească să fi lăsat dropsul afară, pe trotuar. Era foarte bun, dar îl făcea să vorbească destul de greu. Necazul se întâmplă când cotrobăia în buzunarul scurtei lui de stofă după o batistă.

Asistentul tresări, expresia de pe chipul lui îngheță, apoi începu să se schimbe treptat în stupoare.

— Îmi cer scuze, zise Paddington bătându-l pe umăr, dar cred că dropsul meu a sărit în urechea dumneavoastră.

— *Dropsul* dumitale? exclamă bărbatul, cu voce îngrozită. A sărit în urechea mea?

— Da, zise Paddington. Mi l-a dat un taxator de autobuz și mă tem că a devenit alunecos, după ce l-am supt.

Vânzătorul se târî afară de sub masă și se ridică drept în picioare. Își scoase din ureche ce mai rămăsese din dropsul lui Paddington, cu o expresie deosebit de dezgustată. Îl ținu o clipă între degetul mare și cel arătător, apoi îl lăsă repede pe tejgheaua cea mai apropiată. Era destul de rău că fusese nevoit să se târască pe podea ca să descurce o frânghie de rufe, dar să mai aibă și un drops în ureche... Așa ceva nu se mai întâmplase niciodată la Crumbold & Ferns!

Respiră adânc și întinse un deget tremurător în direcția lui Paddington, dar când deschise gura să vorbească, își dădu seama că ursulețul nu mai era acolo. La fel cum nu mai era nici frânghia de rufe. Vânzătorul abia avu timp să apuce masa, care se zgâlțâia zdravăn. Când puse mâna pe ea, câteva platouri, o cană și o farfurie căzură pe jos și se făcură țăndări.

Vânzătorul ridică ochii spre tavan și își însemnă în minte să evite pe viitor orice urs care ar fi intrat în magazin. În direcția holului de la intrare părea să se fi stârnit agitație. Bărbatul bănuia din cauza cui, dar hotărî că ar fi fost mai înțelept să-și păstreze gândurile pentru sine. Avusese destul de-a face cu clientul-urs pentru o singură zi.

* * *

Doamna Brown își croi drum prin mulțimea adunată pe trotuar în fața magazinului Crumbold & Ferns.

— Scuzați-mă, zise ea, trăgându-l de mânecă pe portar. Scuzați-mă, n-ați văzut un ursuleț într-o scurtă de stofă cu brandenburguri? Am stabilit să ne întâlnim aici, dar e atât de multă lume, încât am început să-mi fac griji.

Portarul își atinse șapca în semn de salut.

— Ar putea fi acela tânărul domn despre care vorbiți? întrebă el, arătându-i prin mulțime un alt bărbat în uniformă care se lupta cu ușa rotativă. Dacă despre el este vorba, să știți că s-a blocat de tot. Nu poate intra, nu poate ieși. A rămas prins la mijloc, ca să zic așa.

— Vai de mine! exclamă doamna Brown. După ce-mi spuneți, mi se pare foarte probabil să fie Paddington.

Se ridică pe vârfuri și se uită peste umărul unui domn cu barbă din fața ei. Bărbatul striga încurajări și bătea în sticlă, iar doamna Brown văzu o lăbuță familiară fluturată în semn de recunoaștere.

— Chiar Paddington este! exclamă ea. Cum Dumnezeu s-a blocat acolo?

— Exact asta am vrea și noi să aflăm, zise portarul. Se pare că ar fi vorba de o frânghie de rufe care s-a înfășurat în jurul aripilor ușii, așa am auzit.

În mulțime se auzi un murmur de entuziasm și ușa începu să se rotească din nou. Toată lumea se năpusti spre Paddington, dar primul ajunse la el bărbatul distins cu barbă. Spre surpriza tuturor, îl apucă pe ursuleț de labă și începu să i-o scuture.

— Mulțumesc, ursule, zicea mereu domnul cu barbă. Mă bucur să te cunosc, ursule!

— Oho! exclamă respectuos portarul și se întoarse spre doamna Brown. N-am știut că ursulețul dumneavoastră este prieten cu sir Gresholm Gibbs.

— Nici eu n-am știut, zise doamna Brown. Dar cine e acest sir Gresholm Gibbs?

— O, sir Gresholm, repetă în șoaptă portarul, este un milionar celebru și unul dintre cei mai importanți clienți ai magazinului Crumbold & Ferns.

Portarul începu să dea deoparte mulțimea de spectatori curioși și le făcu loc lui Paddington și domnului cel distins.

— Stimată doamnă, zise sir Gresholm, apropiindu-se și înclinând din cap, cred că sunteți doamna Brown. Tocmai am aflat totul despre dumneavoastră.

— Da? întrebă nesigură doamna Brown.

— Tânărul dumneavoastră urs a găsit un ac de cravată cu diamant, un obiect foarte valoros pentru mine pe care l-am pierdut ceva mai devreme, zise sir Gresholm. Și nu numai că l-a găsit, dar l-a și păstrat în deplină siguranță în tot acest timp.

— Un ac de cravată cu diamant? exclamă doamna Brown, uitându-se la Paddington.

Era prima dată când auzea despre un ac de cravată cu diamant.

— L-am găsit când mi-am pierdut dropsul, zise Paddington, mai degrabă în șoaptă.

— Este un exemplu pentru noi toți, tună sir Gresholm, întorcându-se spre mulțime și arătându-l pe ursuleț.

Paddington flutură modest o labă, iar câțiva dintre curioșii adunați îl aplaudară.

— Stimată doamnă, continuă sir Gresholm, întorcându-se spre doamna Brown, am înțeles că doriți să-i arătați tânărului urs decorațiunile de Crăciun.

— Așa speram, da, zise doamna Brown. Nu le-a mai văzut niciodată și este prima oară când iese din casă după ce a fost bolnav.

— În acest caz, zise sir Gresholm, arătând spre o mașină luxoasă parcată lângă bordura trotuarului, mașina mea vă stă la dispoziție.

— Oho! exclamă Paddington. Serios?

Îi străluceau ochii. Nu mai văzuse niciodată o mașină atât de impresionantă, ca să nu mai vorbim că nici prin gând nu-i trecuse că va merge vreodată cu una.

— Cât se poate de serios, zise sir Gresholm și le deschise ușa. Poftiți, adăugă el, văzând expresia îngrijorată de pe chipul lui Paddington, vă rog să-mi faceți onoarea!

— Vă mulțumesc, zise politicos Paddington, mi-ar plăcea foarte mult să vă fac onoarea, dar... Mi-am lăsat dropsul pe o tejghea din magazin, mărturisi în cele din urmă ursulețul motivul pentru care ezita.

— Vai de mine, zise sir Gresholm, în timp ce o ajuta pe doamna Brown să urce în mașină. Atunci, nu ne rămâne decât un lucru de făcut.

Bătu cu bastonul în geamul din spatele șoferului.

— Dă-i drumul, James, zise el, și nu te opri decât la primul magazin de dulciuri.

— Unul cu dropsuri, vă rog, domnule James.

— Unul cu dropsuri, categoric, repetă sir Gresholm, e un lucru foarte important. Să știți, zise distinsul bărbat, întorcându-se spre doamna Brown și făcându-i cu ochiul, că abia aștept să ajungem acolo.

— Și eu, adăugă sincer Paddington, uitându-se pe fereastră la toate luminile din jur.

Mașina cea uriașă se desprinse de bordură, iar ursulețul se ridică în picioare pe scaun și flutură din labă spre mulțimea de spectatori care rămăseseră cu gura căscată, apoi se așeză din nou, ținându-se cu laba cealaltă de un ciucure de mătase lung, auriu.

Nu se întâmpla în fiecare zi ca un urs să ajungă să se plimbe prin Londra cu o asemenea mașină magnifică, iar Paddington voia să se bucure din plin de ocazie.

Crăciunul

Paddington descoperi că nu venea așa ușor Crăciunul. În fiecare dimineață când cobora la micul dejun, mai tăia o zi din calendar, dar indiferent cât de multe tăiase, sărbătoarea părea să rămână la fel de departe.

Din fericire, avea multe lucruri cu care să-și ocupe mintea. De exemplu, poștașul începuse să vină dimineața din ce în ce mai târziu, iar când ajungea în cele din urmă la familia Brown, avea de livrat atât de multe scrisori, încât muncea din greu ca să le bage pe toate în cutia poștală. Uneori, împreună cu corespondența veneau pachete misterioase, pe care doamna Bird le ascundea imediat, înainte ca Paddington să aibă timp să le cerceteze.

O mulțime de plicuri îi erau adresate lui Paddington însuși, iar ursulețul începu grijuliu să facă o listă cu toți cei care-l felicitau de Crăciun, ca să fie sigur că nu va uita să transmită mulțumiri cuiva.

— Oi fi tu doar un ursuleț, îi zise doamna Brown, ajutându-l să aranjeze felicitările pe polița căminului, dar ai lăsat urme.

Paddington nu știa exact cum să interpreteze aceste vorbe, mai ales că doamna Bird tocmai lustruise podeaua din hol, dar când își examină labele, văzu că erau destul de curate.

Paddington își făcuse singur felicitările. Pe unele le desenase și le ornase pe margini cu bobițe de ilice și de vâsc; altele le confecționase folosind fotografii decupate din revistele doamnei Brown. Dar pe toate scria pe prima pagină UN CRĂCIUN CU BUCURII ȘI UN AN NOU FERICIT și erau semnate în interior PADINGTUN BROWN, laolaltă cu amprenta lăbuței lui, ca să arate că erau cu desăvârșire originale.

Paddington nu era sigur cum se scrie corect UN CRĂCIUN CU BUCURII. Nu i se părea că scrisese bine. Doamna Bird verificase în dicționar toate cuvintele, ca să fie absolut sigură.

— Nu cred că primește multă lume felicitări de Crăciun de la un urs, îi explicase ea. Oamenii or să vrea să le păstreze, așa că-i bine să verifici să fie corect.

Într-o seară, domnul Brown se întoarse acasă cu un brad uriaș legat deasupra mașinii. Îl așezară la loc de cinste lângă fereastra sufrageriei, iar Paddington și doamna Brown petrecură multă vreme ca să-l orneze cu beculețe electrice colorate și cu beteală argintie.

În afară de brad, casa mai urma să fie decorată cu ghirlande de hârtie, cu crengi de ilice și cu clopoței făcuți din hârtie creponată multicoloră. Lui Paddington îi plăcea mult să întindă ghirlandele. Reuși să-l convingă pe domnul Brown că urșii se pricepeau nemaipomenit la decorațiuni și ornară împreună aproape toată casa, cu Paddington cocoțat pe umerii domnului Brown, care îi întindea piunezele. Totul se termină nefericit într-o seară, când Paddington se sprijini din greșeală cu laba într-o piuneză pe care o lăsase pe creștetul domnului Brown. Doamna Bird dădu fuga din bucătărie să vadă ce era cu toată zarva aceea și să întrebe de ce se stinseseră brusc luminile; îl găsi pe Paddington atârnând cu labele din față de candelabru, iar pe domnul Brown țopăind în jurul încăperii și frecându-se pe cap.

În acel moment, însă, cam toate decorațiunile fuseseră aranjate, iar casa căpătase un aer sărbătoresc. Bufetul gemea de nuci, de portocale, de curmale și de smochine pe care Paddington nu avea voie nici măcar să le atingă, iar domnul Brown nu mai fuma pipă, dar umplea în schimb aerul cu mirosul țigărilor de foi.

Agitația din casa Brown spori și ajunse la punctul culminant cu câteva zile înainte de Crăciun, când Jonathan și Judy se întoarseră acasă în vacanță.

Zilele de dinaintea Crăciunului fuseseră pline de acțiune și interesante, dar nimic nu se putea compara cu însăși ziua de Crăciun.

Familia Brown se trezi devreme în dimineața Crăciunului – mult mai devreme decât și-ar fi dorit. Totul începu când Paddington se trezi și găsi la capătul patului o față mare de pernă. Căscă ochii și aprinse lanterna, uimit să vadă că era plină de pachete. Cu siguranță nu fusese acolo în ajun, când să băgase în pat!

Ochii lui Paddington continuară să se facă și mai mari pe măsură ce desfăcea hârtia colorată din jurul fiecărui cadou. Cu câteva zile înainte, sfătuit de doamna Bird, făcuse o listă cu toate lucrurile pe care i-ar fi plăcut să le primească și o ascunsese după polița căminului. Spre marea lui uimire, tot ce trecuse el pe listă se găsea acum în fața de pernă.

Domnul Brown îi dăruise o trusă de chimie, plină de borcane, sticle și eprubete, care părea deosebit de interesantă. Exista, din partea doamnei Brown, un xilofon în miniatură absolut încântător. Paddington iubea muzica, mai ales cea interpretată tare, numai bună de dirijat, și își dorise dintotdeauna un instrument la care să cânte.

Tot de la doamna Brown primise și o șapcă în carouri pe care ursulețul și-o dorea în mod special și o subliniase pe listă. Paddington se ridică în picioare pe capătul patului și se admiră îndelung în oglindă.

Jonathan și Judy îi dăruiseră fiecare câte o carte de călătorii. Pe Paddington îl interesa enorm geografia și era un urs umblat. Descoperi încântat că în cărți existau din belșug hărți și fotografii colorate.

Zgomotul care se auzea din camera ursulețului îi trezi imediat pe Jonathan și pe Judy, iar cât ai clipi casa se umplu de zarvă, de hârtie ruptă și de bucăți de sfoară.

— Sunt la fel de patriot ca oricine, mormăi morocănos domnul Brown, dar nu-mi place să-mi cânte urșii imnul național la șase dimineața, mai ales la xilofon.

Doamna Bird interveni și făcu ordine, ca de obicei.

— Gata cu cadourile până după masă! zise ea.

Tocmai dăduse peste Paddington pe holul de la etaj, unde își încerca trusa de chimie, și descoperise că avea într-un papuc ceva neplăcut.

— Nu-i nimic, zise ursulețul, consultând manualul cu instrucțiuni. E doar pilitură de fier. Nu cred că este periculoasă.

— Periculoasă sau nu, zise doamna Bird, eu am de pregătit ditamai prânzul, ca să nu mai zic că mi-a rămas de ornat și tortul pentru ziua ta.

Pentru că era urs, Paddington avea două aniversări pe an, una vara, cealaltă de Crăciun, iar familia Brown dădea în cinstea lui o petrecere la care fusese invitat domnul Gruber.

După ce luară micul dejun și se duseră cu toții la biserică, dimineața trecu repede, iar Paddington își petrecu majoritatea timpului încercând să se hotărască ce să facă mai departe. Avea o mulțime de posibilități la îndemână și alegerea se dovedea dificilă. Citi niște capitole din cărțile lui noi și produse cu trusa de chimie câteva mirosuri interesante, plus o mică explozie.

Domnul Brown fusese deja luat la rost pentru că îi făcuse un asemenea cadou, mai ales atunci când Paddington descoperise în manual un capitol intitulat „Focuri de artificii pentru interior". Începu să confecționeze un „șarpe" pirotehnic care nu se mai sfârșea, iar doamnei Bird îi sări inima din piept când îl văzu strecurându-se în jos pe scări.

— Dacă nu avem grijă, îi mărturisi ea doamnei Brown, nu mai apucăm să trăim până după Crăciun. Ori sărim în aer și ne facem bucăți, ori murim otrăviți. Adineauri l-am prins încercând sosul pentru friptură cu hârtia de turnesol.

Doamna Brown oftă.

— Bine măcar că nu-i Crăciun decât o dată pe an, zise ea, ajutând-o pe doamna Bird cu cartofii.

— Încă nu s-a terminat, o avertiză doamna Bird.

Din fericire, chiar atunci sosi domnul Gruber și se restabili cât de cât ordinea, după care se așezară cu toții la masă. Lui Paddington îi străluceau ochii văzând atâtea bunătăți și nu era deloc de acord cu domnul Brown, care spunea că totul arăta prea frumos ca să fie mâncat. În același timp, până și el abia mai putea spre sfârșit, când doamna Bird aduse budinca de Crăciun.

— Ei bine, zise domnul Gruber câteva minute mai târziu, rezemându-se de spătarul scaunului și privindu-și farfuria goală, trebuie să vă mărturisesc că a fost cea mai grozavă cină de Crăciun pe care am mâncat-o de mulți ani încoace. Vă mulțumesc din suflet.

— Așa este, bravo! se declară de acord domnul Brown. Tu ce părere ai, Paddington?

— Mâncarea a fost foarte bună, zise ursulețul, lingându-și mustățile de un rest de frișcă. Păcat că am găsit un os în budincă.

— Un *ce*? exclamă doamna Brown. Nu fi prostuț, nu există oase în budincă.

— Eu am găsit unul, insistă Paddington. Era tare și mi-a rămas în gât...

— Vai de mine! exclamă doamna Bird. Bănuțul de cinci penny! Întotdeauna pun un bănuț de argint în budinca de Crăciun.

— Poftim? strigă Paddington, aproape gata să cadă de pe scaun. Cinci penny? N-am mai auzit niciodată să fie bani în budincă.

— Repede! strigă domnul Brown, ridicându-se imediat. Prindeți-l de picioare!

Până să apuce să mai spună ceva, ursulețul se trezi cu capul în jos, iar domnul Brown și domnul Gruber îl scuturară cu rândul. Restul familiei se adunase în jurul lor și cerceta podeaua.

— Nu merge, zise după o vreme domnul Brown. Probabil că banul a ajuns prea departe.

Îl ajută pe domnul Gruber să-l așeze într-un fotoliu pe Paddington, rămas fără suflare.

— Am un magnet la mine-n cameră, zise Jonathan. I l-am putea coborî pe gât, legat cu ață...

— Nici să nu te gândești, dragule, interveni cu voce îngrijorată doamna Brown. L-ar putea înghiți și ar fi mult mai rău. Cum te simți, Paddington? îl întrebă ea pe ursuleț, aplecându-se spre el.

— Mi-e greață, răspunse Paddington pe un ton sfâșietor.

— Sigur că da, era și de așteptat, zise doamna Brown. Nu ne mai rămâne decât să trimitem după doctor.

— Slavă Domnului că am frecat bănuțul bine, înainte să-l pun, zise doamna Bird. Altfel ar fi fost plin de microbi.

— Dar nu l-am *înghițit*, oftă Paddington. Doar mi-a ajuns în gât, însă l-am scos și l-am pus pe marginea farfuriei. N-am știut că era o monedă de cinci penny, pentru că era acoperită de budincă.

Paddington simțea că ajunsese la capătul puterilor. Tocmai mâncase cea mai bună masă din viața lui, iar pe urmă îl întorseseră cu capul în jos și-l scuturaseră până să aibă timp să le explice. Ceilalți se uitară unii la alții și ieșiră din cameră în tăcere, lăsându-l pe Paddington să-și revină singur. Nu le mai rămăsese nimic de spus.

Dar, după ce strânseră masa și doamna Bird făcu o cafea tare, Paddington redeveni din nou el însuși. Când se întoarseră cu toții în sufragerie, îl găsiră stând pe scaun și ospătându-se cu niște curmale. Trebuiau să se întâmple lucruri grave pentru ca ursulețul să rămână bolnav multă vreme.

După ce își terminară cafelele, se așezară comod în jurul focului vioi din cămin. Domnul Brown își frecă mâinile.

— Paddington, zise el, știi că nu-i numai Crăciunul, este și ziua ta. Ce ți-ar plăcea să faci?

Pe chipul ursulețului se ivi o expresie misterioasă.

— Dacă vă duceți cu toții în camera cealaltă, zise el, am o surpriză specială pentru voi.

— Chiar trebuie să plecăm, Paddington? întrebă doamna Brown. Acolo n-avem foc deloc.

— Nu durează mult, zise Paddington hotărât, dar este vorba despre o surpriză specială și trebuie pregătită.

Le ținu ușa, iar familia Brown, doamna Bird și domnul Gruber trecură ascultători în camera vecină.

— Acum închideți ochii, zise Paddington, după ce se așezară cu toții. Vă spun eu când sunt gata.

Doamna Brown se scutură înfrigurată.

— Sper să nu dureze prea mult, zise ea, dar nu-i răspunse decât zgomotul ușii care se închidea.

Așteptară câteva minute fără să vorbească, apoi domnul Gruber își drese vocea.

— Credeți că tânărul domn Brown a uitat cumva de noi? întrebă el.

— Nu știu, zise doamna Brown, dar eu nu mai am de gând să aștept. Henry! exclamă ea când deschise ochii. Ai adormit?

— Ăă, poftim?

Domnul Brown sforăia ușor. Mâncase prea mult la cină și cu greu reușea să rămână treaz.

— Ce s-a-ntâmplat? se dezmetici el. Am pierdut ceva?

— Nu s-a întâmplat nimic, Henry, zise doamna Brown, dar cred că ar fi mai bine să vezi ce face Paddington.

Peste câteva minute, domnul Brown se întoarse și îi anunță că nu reușise să-l găsească nicăieri pe Paddington.

— *Trebuie* să fie undeva, insistă doamna Brown. Urșii nu dispar așa, în aer.

— Strașnic! exclamă Jonathan, ca și cum l-ar fi lovit brusc un gând. Ce-ar fi să se joace de-a Moș Crăciun? M-a tot întrebat despre el zilele trecute, când și-a pus lista după cămin. Pun pariu că de-asta ne-a pus să venim aici. Căminul ăsta are legătură cu cel de sus și focul nu-i aprins...

— Moș Crăciun? zise domnul Brown. Îi dau eu Moș Crăciun!

Vârî capul în honul căminului și strigă de câteva ori numele lui Paddington.

— Nu văd nimic acolo, zise el apoi, aprinzând un chibrit.

Ca și cum i-ar fi răspuns cineva, un morman de funingine adunată pe horn îi căzu direct în cap.

— Uite ce-ai făcut, Henry! zise doamna Brown. Ai strigat și s-a desprins funinginea. A căzut toată pe cămașa ta curată!

— Dacă tânărul domn Brown este undeva pe-acolo, poate că s-a înțepenit, sugeră domnul Gruber. A mâncat din belșug. Pe toată durata cinei m-am mirat unde poate încăpea atâta mâncare.

Vorbele domnului Gruber avură efect asupra tuturor. Începură să se uite îngrijorați unii la alții.

— Se poate sufoca de la fum, exclamă doamna Bird și fugi imediat la dulapul cu mături.

Se întoarse imediat cu un mop și îi găsi pe toți ceilalți bătând în cămin, dar fără să audă vreun răspuns, oricât ar fi ciulit urechile.

Paddington intră în cameră când era agitația mai în toi. Rămase mai mult decât uimit să-l vadă pe domnul Brown cu capul vârât pe hornul căminului.

— Puteți veni în sufragerie, de-acum, zise el uitându-se roată la toți. Am terminat de împachetat cadourile mele pentru voi și le-am pus sub pom.

— Vrei să spui, izbucni domnul Brown, ieșind din cămin și frecându-și fața cu batista, că ai fost tot timpul în camera cealaltă?

— Da, zise nevinovat Paddington. Sper că nu v-am lăsat să așteptați prea mult.

Doamna Brown se uită la soțul ei.

— Credeam că l-ai căutat peste tot, zise ea.

— Păi, noi tocmai veniserăm din sufragerie, zise vinovat domnul Brown. Nu m-am gândit că putea fi chiar acolo...

— Ca să vezi cum i se duce buhul degeaba unui biet urs, zise repede doamna Bird, văzând expresia de pe chipul domnului Brown.

Paddington ascultă cu mare interes din ce anume se stârnise toată zarva.

— Nu m-am gândit niciodată să cobor pe coș, zise el, uitându-se la șemineu.

— Nici să nu te gândești vreodată, răspunse sever domnul Brown.

Dar expresia lui se schimbă imediat ce îl urmă pe Paddington în sufragerie și văzu ce surpriză le pregătise. Pe lângă cadourile adunate sub pom, acum încă șase pachete proaspăt învelite în hârtie atârnau de crengile cele mai de jos. Chiar dacă membrii familiei Brown recunoșteau hârtia în care împachetaseră ei înșiși cadourile pentru Paddington, erau prea politicoși ca să spună ceva.

— Mă tem că am fost nevoit să refolosesc hârtia, se scuză ursulețul, arătând cu laba spre brad. Nu mi-au prea rămas bani. De aceea v-am rugat să treceți dincolo, ca să le ambalez.

— Să știi că sunt foarte supărată pe tine că ți-ai cheltuit toate economiile ca să ne cumperi nouă cadouri, zise doamna Brown.

— Mă tem că nu sunt decât niște lucruri banale, zise Paddington și se așeză pe scaun să-i urmărească pe ceilalți desfăcându-și darurile, dar sper să vă placă. Am scris pe ele numele fiecăruia, ca să le găsiți mai ușor.

— Lucruri banale? exclamă domnul Brown după ce-și deschise cadoul. Eu n-aș numi „banal" un suport de pipă! Plus că mai are lângă el și un pachet din tutunul meu preferat!

— Hei! Un nou clasor pentru timbre, strigă Jonathan. Super! Și are deja câteva timbre în el.

— Sunt timbre din Peru, de pe vederile de la mătușa Lucy, zise Paddington. Le-am pus deoparte pentru tine.

— Iar eu am o cutie de culori! exclamă Judy. Mulțumesc foarte mult, Paddington! Exact asta îmi doream!

— Suntem cu toții foarte norocoși, zise doamna Brown, desfăcându-și cadoul în care era o sticluță cu parfumul ei preferat de lavandă. Cum de-ai ghicit? Am termina ultima sticlă săptămâna trecută!

— Îmi cer scuze pentru pachetul dumneavoastră, doamnă Bird, zise Paddington, uitându-se după ea în cealaltă parte a încăperii. Am cam avut bătaie de cap cu nodurile.

— Trebuie să fie ceva foarte special, zise domnul Brown. De-atâta sfoară, nici nu se mai vede pachetul.

— Din cauză că e o frânghie de rufe, nu sfoară, explică Paddington. Am recuperat-o în timp ce eram blocat în ușa rotativă de la Crumbold & Ferns.

— Înseamnă că deja am două cadouri, nu unul singur, zise doamna Bird, reușind să dezlege ultimul nod și începând să desfacă metri după metri de hârtie. Ce interesant! Nici nu-mi dau seama ce ar putea fi... Nu-mi vine să cred că e o broșă! exclamă ea în cele din urmă. Și pe deasupra, una în formă de urs – ce minunat!

Doamna Bird părea nespus de încântată și de emoționată și le arătă tuturor ce primise.

— O s-o păstrez într-un loc sigur și o s-o port numai la ocazii, când vreau să fac impresie, adăugă ea veselă.

— Oare ce am eu aici? întrebă domnul Gruber, iar atenția tuturor se îndreptă asupra lui. Are o formă ciudată, se miră el, pipăind pachetul.

Îl desfăcu încet, cu răbdare.

— E o cană, exclamă el, luminându-se la față de bucurie. Și are numele meu inscripționat pe o parte!

— Pentru întâlnirile noastre de la ora unsprezece, domnule Gruber, zise Paddington. Am observat că vechea dumneavoastră cană era cam ciobită.

— Sunt sigur că de-acum ceașca mea de cacao va fi mai delicioasă ca oricând, zise domnul Gruber, îndreptându-se și dregându-și vocea. Vă propun să-i mulțumim cu toții tânărului domn Brown pentru minunatele lui daruri. Sunt sigur că s-a gândit îndelung la fiecare-n parte.

— Bravo! adăugă și domnul Brown, în timp ce-și umplea pipa.

Domnul Gruber căută sub scaun.

— M-am gândit și eu la dumneata, domnule Brown, și ți-am adus un cadou.

Toată lumea se adună în jurul lui Paddington, uitându-se cum se lupta cu pachetul, nerăbdător să vadă ce-i adusese domnul Gruber. Ursulețul reuși să rupă hârtia într-o parte și lăsă să-i scape un oftat de uimire. Înăuntru era un jurnal legat în piele, pe a cărui copertă scria cu litere aurii „Paddington Brown". Paddington nu mai știa ce să spună, dar domnul Gruber nu aștepta mulțumirile lui.

— Știu cât de mult îți place să scrii despre aventurile dumitale, domnule Brown, zise el. Și ți s-au întâmplat atât de multe, încât sunt sigur că jurnalul pe care-l ai acum este aproape plin.

— Chiar așa-i, recunoscu sincer Paddington. Și nu mă îndoiesc că mă așteaptă multe alte aventuri. Mie mi se întâmplă o sumedenie de lucruri, doar știți. Dar o să le scriu aici numai pe cele mai grozave!

Când se duse mai târziu la culcare, în mintea lui Paddington se învârtea un adevărat vârtej de lucruri minunate. Abia dacă reușea să urce scările, darămite să se mai gândească la altceva. Nici nu știa ce-i plăcuse mai mult. Cadourile primite, masa de Crăciun, jocurile sau ceaiul – cu tortul special cu straturi de marmeladă făcut de doamna Bird în cinstea aniversării lui. Se opri în colțul scărilor și se gândi că, totuși, cel mai mult îi plăcuse când dăduse el cadourile.

— Paddington! Ce-ai acolo?

Ursulețul se trezi din reverie, tresări și ascunse repede laba la spate. Doamna Bird îl strigase de jos, din capătul scărilor.

— Doar niște budincă de cinci penny, doamnă Bird, răspunse el, uitându-se vinovat peste balustradă. M-am gândit că s-ar putea să mi se facă foame peste noapte și n-am vrut să risc.

— Ei, hai acum, chiar aşa? exclamă doamna Bird, în timp ce lângă ea se adunaseră şi ceilalţi. Aşa arată un urs? Cu o pălărie de zece ori mai mare decât ar trebui pe cap, cu jurnalul de la domnul Gruber într-o labă şi cu o farfurie de budincă în cealaltă?

— Nu-mi pasă cum arată, zise doamna Brown, atâta timp cât îl ştiu aici. Casa asta n-ar mai fi la fel fără el.

Dar Paddington se îndepărtase prea mult ca să mai audă ce vorbeau despre el. Se urcă în pat, nerăbdător să înceapă jurnalul cel nou.

Mai întâi scrise ceva foarte important pe prima pagină:

PADINGTUN BROWN,

WINDSOR GARDENS NR. 32,

LUNDRA,

ANGLIA,

IOROPA

LUMEA.

Pe următoarea adăugă, tot cu litere mari: AVENTURILE MELE. CAPITOLU UNUL.

Paddington supse gânditor peniţa tocului pentru o clipă, apoi îl lăsă cu grijă în călimară, ca să nu cadă vreun strop de cerneală pe paginile jurnalului. Îi era prea somn acum ca să mai scrie. Nici nu conta prea mult. Mâine urma o nouă zi şi n-avea nicio îndoială că-l așteptau alte și alte aventuri – chiar dacă încă nu știa exact cum aveau să fie.

Paddington se întinse pe spate și își trase păturile până la mustăți. Era cald și bine. Oftă mulțumit și închise ochii. Era bine să fii urs. Mai ales un urs pe nume Paddington.

Cuprins

Michael Bond (n. 13 ianuarie 1926, la Newbury, în Marea Britanie) este autorul a peste o sută de cărți. A copilărit în Reading, unde a studiat la o școală catolică. A lucrat un an în biroul unui avocat, apoi s-a alăturat echipei tehnice de la BBC. În timpul celui de-al Doilea Război Mondial, și-a îndeplinit serviciul militar atât în cadrul forțelor terestre britanice, cât și în cadrul forțelor aeriene.

Publicarea primei povestiri în revista *London Opinion* a însemnat începutul unei noi cariere, dar până să devină în exclusivitate scriitor, Bond a lucrat mult timp ca operator de televiziune pentru BBC.

Cea mai faimoasă creație a lui și-a găsit inspirația într-un ajun de Crăciun. Se adăpostise de ninsoare în magazinul Selfridges și a văzut un ursuleț de pluș abandonat pe un raft. Așa s-a născut povestea *Un urs pe nume Paddington*, publicată pentru prima oară în 1958. Cartea a generat o serie de volume ilustrate despre ursul Paddington și numeroase proiecte destinate copiilor de toate vârstele. Aventurile lui Paddington au fost traduse în 30 de limbi și s-au vândut în peste 30 de milioane de exemplare în întreaga lume. În gara Paddington din Londra există o statuie din bronz a ursului.

Bond a scris și alte serii adresate copiilor – *Olga da Polga*, *Monsieur Pamplemousse* ș.a.

Pentru contribuția adusă literaturii destinate copiilor, Michael Bond a primit două recunoașteri speciale. În 1997 i s-a decernat Ordinul Imperiului Britanic, iar în 2002 i-a fost expus tabloul în Galeria Națională a Portretelor din Londra, cu prilejul sărbătoririi a o sută de ani de literatură pentru copii. În 2007, Universitatea Reading i-a acordat titlul de Doctor Honoris Causa în Litere.

Michael Bond locuiește la Londra, nu departe de gara Paddington.

Peggy Fortnum (n. 23 decembrie 1919, în Harrow, Middlesex, în Marea Britanie) este ilustratoare de carte. Înainte de a se dedica întru totul ilustrației de carte, a fost profesoară de artă, pictoriță și designer vestimentar. A ilustrat peste șaizeci de cărți. Cele mai cunoscute sunt ilustrațiile create pentru personajul Paddington al lui Michael Bond. Deși inițial desenele fuseseră concepute în alb și negru, acestea există și în variantă color, datorită altor artiști, printre care și nepoata ei, Caroline Nuttal-Smith.

Amandine Bănescu (n. 1982, Franța) trăiește și desenează în România de 10 ani. După o experiență de 5 ani în publicitate, se reîntoarce definitiv la ilustrații. Desenează omuleți cu ochii uriași, mâini supradimensionate, îi place să combine culorile, lumina și umbra, realitatea cu fantezia. Pe lângă ilustrațiile pentru cărți de copii, mai creează cu desenele ei afișe de film și teatru, identități vizuale, design interior și vestimentar etc.

Grupul Editorial ART
Comenzi – Cartea prin poştă
C.P. 4, O.P. 83, cod 062650, sector 6, Bucureşti
tel.: (021) 224.01.30, 0744.300.870, 0721.213.576;
fax: (021) 369.31.99
Comenzi – online
www.editura-arthur.ro